VICTOR HUGO

ANDRÉ MAUROIS
de l'Académie française

VICTOR HUGO

HACHETTE

TABLE DES MATIÈRES

pages

7 La famille

11 Sa naissance

11 L'enfance

20 Adèle Foucher

23 Les Odes

26 Le mariage

28 Nouvelles Odes

29 Naissance de Léopoldine

32 Odes et Ballades

32 Cromwell

34 Naissance de Charles

37 Les Orientales

42 Victor Hugo et Sainte-Beuve

43 Naissance de François-Victor

44 La bataille d'Hernani

47 Naissance d'Adèle

48 Notre-Dame de Paris

51 Les Feuilles d'Automne

53 Le théâtre

54 Juliette Drouet

61 Tristesse d'Olympio

62 Ruy Blas

64 Entrée à l'Académie française

66 Les Burgraves

68 La tragédie de Villequier

71 Léonie d'Aunet

72 Pair de France

80 L'exil

84 Les Châtiments

89 Les Contemplations

93 La Légende des Siècles

95 Les Misérables

100 Les Travailleurs de la Mer

102 La mort de Mme Hugo

104 La guerre de 1870

105 Retour à Paris

108 La mort de Charles

109 La Commune

114 Quatrevingt-treize

117 La mort de François-Victor

118 L'Art d'être grand-père

122 Mort de Juliette

125 Sa mort

129 Table chronologique

133 Table des illustrations

141 Index

Mme Joseph-Léopold-Sigisbert Hugo,
née Françoise Trébuchet,
mère de Victor Hugo.

Le général Hugo, père de l'écrivain.

Mme Trébuchet, née Lenormand du Buisson,
grand-mère maternelle de Victor Hugo.

VERS 1770 VIVAIT A NANCY UN MAITRE MENUISIER, JOSEPH HUGO, qui *La famille.*
jouissait du privilège des bois flottés sur la Moselle et possédait, outre son
fonds, quelques petits immeubles dans la ville. Le nom de la famille, d'origine
germanique, était commun en Lorraine. Au XVIᵉ siècle, un Georges Hugo
avait été capitaine des gardes et anobli; un Louis Hugo, abbé d'Estival puis
évêque de Ptolémaïde. Existait-il un lien de parenté entre le menuisier et
l'évêque ? Nul ne le savait, mais les enfants du menuisier aimaient à le croire
et racontaient que Françoise Hugo, comtesse de Graffigny, écrivait à leur
père : « Mon cousin ». Joseph Hugo eut d'une première épouse, Dieudonnée
Béchet, sept filles et, d'une seconde, Jeanne-Marguerite Michaud, cinq fils

L'ancien quai de Battant à Besançon, qui fut démoli en 1865.

qui, tous, s'engagèrent dans les armées de la Révolution. Deux de ces garçons furent tués à Wissembourg; les trois autres devinrent officiers.

Le troisième fils, Joseph-Léopold-Sigisbert Hugo, était né à Nancy, le 15 novembre 1773. Des cheveux abondants, plantés trop bas sur le front, des yeux à fleur de tête, un nez camus, des lèvres fortes et sensuelles, un teint rubicond lui auraient fait un visage vulgaire si un air de bonté, un éclair d'esprit dans les yeux et un sourire très doux ne l'avaient rendu séduisant. Il avait commencé, chez les chanoines réguliers de Nancy, des études tôt interrompues puisqu'il s'était engagé à quinze ans. En 1792, jeune capitaine à l'armée du Rhin, il avait connu le chef de bataillon Kléber, le lieutenant Desaix et le général Alexandre de Beauharnais, premier mari de Joséphine. Brave soldat, plusieurs fois blessé, deux chevaux tués sous lui, il fut envoyé en 1793 combattre l'insurrection vendéenne. En 1793, le 8e bataillon du Bas-Rhin l'avait élu commandant.

Léopold Hugo, qui devait tout à la Révolution, en partageait les passions au point de signer ses lettres : *Le sans-culotte Brutus Hugo,* mais son cœur demeurait humain et les « brigands de Charette » surent vite que ce Bleu n'était pas sans pitié. Peut-être sa réputation de mansuétude valut-elle à l'officier républicain d'être assez bien accueilli par une Bretonne, Sophie Trébuchet, dans le manoir-ferme de la Renaudière, au Petit-Auverné, quand il lui demanda d'y recevoir une heure ses hommes fourbus.

Cette jeune personne, bien faite, mignonne, aux grands yeux bruns, au visage énergique et presque hautain, était l'une des trois filles d'un capitaine de navire nantais qui avait fait la traite des Nègres et petite-fille, par sa mère, d'un procureur au présidial de Nantes, M. Lenormand du Buisson.

Orpheline dès l'enfance, Sophie avait été élevée par une tante, maîtresse femme, royaliste et voltairienne, dont la jeune fille avait adopté les idées. Pourtant le jeune capitaine ne déplut pas. Il avait sauvé des femmes, des otages, des enfants. Elle prit plaisir à se promener avec lui, dans les chemins creux du Bocage, et à lui démontrer bravement que la guerre faite aux Chouans n'était pas juste. Hugo défendait la république avec vigueur, mais il admirait

Maison natale de Victor Hugo à Besançon.

Eugène Hugo,
de deux ans plus âgé que le poète.

Abel, né en 1798, était l'aîné des trois frères
et jouait très bien son rôle.

l'esprit ferme de cette jeune femme qu'il désirait. Cette dissonante idylle
fut brève ; le 8e bataillon du Bas-Rhin fut rappelé à Paris par le Directoire.
Cependant Hugo, à Paris, n'oubliait pas « sa petite Sophie de Châteaubriant »
et continuait de lui écrire. Il offrit de l'épouser.

Elle était seule au monde, de dix-sept mois plus âgée que lui ; elle avait
besoin d'un appui. Elle vint à Paris, accompagnée par son frère ; Hugo
« l'étourdit de ses transports », et le 15 novembre 1797 ils furent mariés
civilement à la mairie du IXe arrondissement, quartier de la Fidélité.

Les époux passèrent deux ans à Paris, lui fort épris de sa fine Bretonne,
elle un peu fatiguée par le verbiage bruyant et le goût pour la gaudriole de
son mari, épuisée par les ardeurs amoureuses de cet homme à cou de taureau,
mais secrète, tenace et dominatrice.

En 1798, les Hugo eurent un fils : Abel, et, l'année suivante, le commandant
rejoignit les armées.

Il laissa d'abord son épouse à Nancy. De nouveau enceinte, vaguement
amoureuse d'un autre homme, Sophie était plus que jamais effrayée par la
sensualité vorace de son mari ; elle sollicitait des vacances conjugales et
demandait, par des lettres que le commandant, épistolier à la Saint-Preux,
jugeait glaciales, à faire ses couches en Bretagne. Cette attitude hostile
désespérait le jeune mari. Pourtant, après la naissance, à Nancy, le 16 septembre

1800, d'un second garçon : Eugène, elle dut rejoindre son époux à Lunéville, dont il avait été nommé gouverneur.

En 1801, à la faveur d'une promenade en montagne, pendant le voyage de Lunéville à Besançon, un troisième enfant Hugo fut conçu. Ce troisième fils naquit à Besançon, le 26 février 1802, dans une vieille maison du XVIIe siècle. Les parents avaient demandé au général Victor Lahorie d'être le parrain de l'enfant et à Marie Dessirier, femme de Jacques Delelée, chef de brigade commandant la place de Besançon, la marraine, d'où les prénoms de Victor-Marie. L'enfant semblait si chétif que l'accoucheur ne croyait pas qu'il pût vivre.

Sa naissance.

Six semaines après la naissance de son troisième fils, Hugo reçut l'ordre de se rendre à Marseille pour y prendre le commandement d'un bataillon qui allait partir pour Saint-Domingue.

Se croyant persécuté, dangereusement menacé, il commit la folie d'envoyer sa jeune femme à Paris, pour supplier Joseph Bonaparte, le général Clarke et Lahorie de l'arracher à ses ennemis par un changement d'affectation. Sophie, bien que triste de quitter ses trois garçons, accepta de partir.

En juin 1803, Victor, qui avait seize mois, réclamait, au dire du commandant, sa « mamaman ». Il avait une tête énorme, trop grande pour son corps, qui en faisait comme un nain difforme. « On le trouvait dans des coins, pleurant silencieusement sans qu'on sût pourquoi... » On imagine ce qui se passait dans le cœur de cet enfant sans mère, débile cadet de deux frères vigoureux. Ainsi se formait un fond de caractère sombre qui, toute sa vie, percera, par moments, sous sa prodigieuse vitalité.

En 1803, le bataillon partit pour l'île d'Elbe et ce fut là qu'à Porto-Ferrajo Mme Hugo vint enfin retrouver sa famille. Elle savait, en venant, fort bien ce qu'elle voulait. Ramener à Paris ses trois fils, qu'elle adorait, et y retrouver Lahorie qu'elle aimait. Elle repartit en novembre 1803. Son séjour à Porto-Ferrajo avait duré moins de quatre mois.

C'était à la maison de la rue de Clichy que remontaient les plus lointains souvenirs de Victor Hugo. Il se rappelait « que sa mère l'envoyait à l'école rue du Mont-Blanc ; qu'on le menait, le matin, dans la chambre de Mlle Rose, la fille du maître d'école ; que Mlle Rose, encore au lit, l'asseyait sur le lit près d'elle et que, quand elle se levait, il la regardait mettre ses bas... ». Cependant Léopold Hugo avait passé en Italie. Le doux Joseph Bonaparte, homme de lettres changé par un illustre frère en homme de guerre malgré lui, avait reçu l'ordre de conquérir le royaume de Naples. Le commandant Hugo était connu de ce prince, ayant servi sous ses ordres à Lunéville, et Joseph lui voulait du bien. Sophie ne s'occupait plus de ce mari lointain, presque aboli, que pour lui demander de l'argent. Il envoyait la moitié de sa solde, non sans grogner.

Enfin Hugo eut l'occasion de se distinguer qui lui valut d'être nommé

L'enfance.

Victor Hugo en 1819,
année où il publia sa première ode
et déclara son amour à Adèle Foucher.

par Joseph gouverneur de la province d'Avellino et promu colonel du Royal-Corse.

Or, vers ce temps-là (1807), la situation de Lahorie s'était empirée. Quand Sophie Hugo vit que son ami, guetté par Fouché, ne pouvait plus venir à Paris et que l'argent allait manquer pour ses fils, elle décida de rejoindre son mari. Nécessité fait loi. Sophie ne tint aucun compte des protestations de son époux et, en octobre 1807, partit pour l'Italie sans l'avoir averti.

Le petit Victor n'avait que cinq ans, mais c'était un enfant sensible et attentif. Il n'oublia de sa vie cette traversée de la France en diligence.

Tout enfant vit un conte de fées, mais la féerie des premières années de Victor Hugo apparaît singulièrement brillante. Les trois frères habitent, en Italie, un palais de marbre tout crevassé, près duquel est un ravin profond, ombragé de noisetiers. Plus d'école, liberté entière; un air de vacances dont Victor, toute sa vie, aimera la saveur; un père tout-puissant que l'on voit à peine; qui, de temps à autre, apparaît et se met à cheval sur son grand sabre pour amuser ses fils, mais que toujours des cavaliers au casque poli attendent avec respect dans la cour; un père qu'aime le roi de Naples, lequel est le frère de l'Empereur; un père qui avait fait inscrire, sur les contrôles du Royal-Corse, le petit Victor, qui, de ce jour, se tint pour un soldat. Entre le colonel et sa femme, aucune réconciliation n'était intervenue. Les enfants devinaient des luttes mystérieuses, dont ils comprenaient mal les causes. Ils étaient à la fois fiers de leur père et conscients de quelque offense que celui-ci faisait à leur mère adorée. De toute manière, ils n'eussent pu rester longtemps à Naples, car, bientôt après le départ de sa famille, le colonel Hugo fut appelé

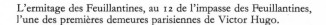

L'ermitage des Feuillantines, au 12 de l'impasse des Feuillantines,
l'une des premières demeures parisiennes de Victor Hugo.

C'est dans un semblable équipage qu'en 1811
la générale Hugo, comtesse de Siguenza,
accompagnée de ses fils,
rejoignit son mari en Espagne.

Joseph Bonaparte,
frère de Napoléon,
qui fut roi de Naples,
puis roi d'Espagne et des Indes.

à Madrid par Joseph Bonaparte, promu « roi d'Espagne et des Indes ».
Léopold Hugo avait renoncé à reconquérir sa femme, non à protéger ses
enfants.

Paris, février 1809. Mme Hugo, qui peut maintenant compter sur trois
mille, et bientôt quatre mille francs de pension, trouve au numéro 12 de
l'impasse des Feuillantines un vaste appartement, au rez-de-chaussée de
l'ancien couvent fondé par Anne d'Autriche. « Je me revois enfant, écolier
rieur et frais, jouant, courant, riant avec mes frères dans la grande allée verte
de ce jardin où ont coulé mes premières années, ancien enclos de religieuses
que domine, de sa tête de plomb, le sombre dôme du Val-de-Grâce... »
écrira, plus tard, le poète dans *Le Dernier Jour d'un Condamné*.

Léopold-Sigisbert Hugo était devenu général dans l'armée du roi Joseph,
grand dignitaire de la cour et comte de Siguenza (titre espagnol). Le roi lui
prodiguait honneurs et gratifications. Au printemps de 1811, Mme Hugo
fut avertie qu'un convoi se formait et qu'elle devait le rejoindre à Bayonne.
Elle haïssait les voyages. Pour ses fils, celui-là fut enivrant. Ils aimèrent le
cabriolet, les villes traversées. Victor avait un œil si sûr et une mémoire si
fidèle qu'il pourra, vingt ans plus tard, dessiner les deux belles tours de la
cathédrale d'Angoulême, à peine entrevue. Toute sa vie, il se souviendra

de Bayonne, où il fallut attendre un mois le convoi. Victor aima tout de suite l'Espagne, terre de contrastes. Ses yeux, accoutumés aux lits étoilés, aux fauteuils à cous de cygne, aux chenets en sphinx et aux bronzes dorés, regardaient avec une sorte de terreur les lits à baldaquin, les argenteries contournées et trapues, les vitres maillées de plomb. Mais cette terreur même lui plaisait.

Le jeune Victor Hugo, à partir de ce voyage, sera hanté par des fantômes encore sans nom qui deviendront Hernani, Ruy Gomez de Silva, Don Salluste et Ruy Blas; par des images de sang et d'or, et par une « petite Espagnole, avec ses grands yeux et ses grands cheveux, sa peau brune et dorée, ses lèvres rouges et ses joues roses, l'Andalouse de quatorze ans, Pepa... ». De ce contact, bref mais intime, avec l'Espagne, il gardera le goût des mots sonores et des sentiments emphatiques.

Abel, Eugène et Victor écrivaient tous trois des vers. Victor en remplissait des cahiers. Sa pensée se pliait, naturellement, aux rythmes classiques. Mme Hugo régnait sans effort sur l'esprit de ses fils. Elle exigeait et obtenait une obéissance respectueuse et ponctuelle.

En 1813, le général Hugo, après la défaite de Joseph Bonaparte, dut rentrer en France. En septembre, il était à Pau avec Abel et celle que Mme Hugo appelait tantôt « la fille Thomas » et tantôt « la prétendue comtesse de Salcano ». Général en Espagne, Léopold-Sigisbert Hugo n'était toujours que chef de bataillon en France. La pension promise à sa femme n'était pas payée.

Le général Hugo avait demandé à reprendre du service dans l'armée française. Il reçut, le 9 janvier 1814, le commandement de la place de Thionville. Il la défendit bravement contre l'invasion et ne capitula que lorsqu'il apprit l'abdication de Napoléon Ier. Abel avait rejoint sa mère à Paris. Elle était fière de ce beau garçon aux larges épaules. Le général Hugo resta dans sa place de Thionville jusqu'à mai 1814. Sa femme, accompagnée d'Abel, fit le voyage de Thionville pour réclamer sa pension. L'incompatibilité d'humeur était devenue de la haine. Le général voulait arracher ses fils à cette épouse « abhorrée »; et quand il vint à Paris en septembre 1814, il les mit en pension, comme la puissance paternelle lui en donnait le droit, chez Cordier et Decotte, rue Sainte-Marguerite, « voie sombre, enserrée entre la prison de l'Abbaye et le passage du Dragon ». Lorsqu'en mars 1815 il fut rappelé à Thionville, pour défendre une seconde fois la place contre la nouvelle invasion, il délégua son autorité à sa sœur, l'acariâtre veuve Martin-Chopine. Contre cette femme, les deux garçons furent tout de suite en rébellion ouverte. Ils l'appelaient madame et non ma tante. Tous deux demeuraient absolument dévoués à la mère dont on les séparait. Après le paradis des Feuillantines la pension Cordier et Decotte, triste, sans verdure, semblait un morne purgatoire. Tout de suite, ils jouirent d'un vif prestige parmi leurs camarades parce que leur père avait exigé pour eux une chambre à part. L'école se divisa en deux camps qui eurent pour rois l'un Victor, l'autre Eugène. Le soir, les deux souverains

La cour du Dragon, voisine de la pension Cordier et Decotte
où Victor Hugo et ses frères furent pensionnaires de 1814 à 1818.

rivaux se retrouvaient dans leur chambre commune et négociaient. Cela rappelait les frères Bonaparte se partageant l'Europe, et sans doute les frères Hugo n'étaient-ils pas sans y penser.

Tous deux faisaient hommage de leurs vers à leur mère, qui, ne pouvant avoir ses fils chez elle, leur rendait visite à la pension. Les cahiers conservés contiennent des milliers de vers; un opéra-comique complet; un mélodrame en prose : *Inez de Castro ;* une esquisse de tragédie en cinq actes et en vers : *Athélie ou les Scandinaves ;* un poème épique : *Le Déluge ;* le tout illustré, dans les marges, de dessins qui font parfois penser à ceux de Rembrandt par leur confuse hardiesse. Or il faut ajouter que, dans le même temps, Victor préparait Polytechnique, qu'il avait de bonnes notes en sciences et que, dès la fin de 1816, il suivait avec Eugène, de deux ans plus âgé, les cours du collège Louis-le-Grand, de huit heures du matin à cinq heures du soir. Pour écrire des vers, il devait prendre sur ses nuits et travaillait à la chandelle, dans son grenier, fournaise au mois de juin et glacière en décembre, d'où il apercevait le télégraphe sur les tours de Saint-Sulpice. Une blessure au genou, qui le tint au lit quelques semaines, lui permit de se donner plus encore à ce qu'il aimait.

Victor tenait un journal sincère. Le 10 juillet 1816, à quatorze ans, il avait écrit : « Je veux être Chateaubriand ou rien. » Choix facile à comprendre. Depuis 1789, la France, ivre de rhétorique romaine, avait cherché la grandeur. Sur ce point, pour la première fois, Victor se séparait de sa mère. Il admirait *Atala* dont, femme du XVIIIe siècle, elle lisait avec amusement une sotte parodie : *Ah ! là là !* Que Chateaubriand ait connu les premiers essais de Victor Hugo n'est pas probable. Les vacances de l'été 1817 «furent une fête perpétuelle pour Victor », dont tous les amis célébraient les succès.

Le 3 février 1818, un événement capitalissime se produisit : le jugement de séparation des époux Hugo fut prononcé. «Mme Trébuchet » obtint la garde de ses enfants, avec une pension de trois mille francs. Au mois d'août, les deux frères quittèrent avec ivresse la pension Cordier et Decotte pour venir habiter chez leur mère, 18, rue des Petits-Augustins (actuelle rue Bonaparte).

Rien de plus beau que la confiance d'une femme dans le génie de ses enfants. Mme Hugo n'eut même pas l'idée de contraindre ses fils à étudier le droit. Ce n'était là qu'un écran de parchemin entre eux et le général. En fait, si Eugène et Victor prirent, pendant deux ans, leurs inscriptions, ils n'allèrent pas aux cours et ne passèrent jamais un examen. Non, déjà fière des triomphes attendus, elle ne voulait faire de ses garçons ni des avocats ni des fonctionnaires, mais de grands écrivains. Rien de moins. Chaque soir, on allait à pied jusqu'à la rue du Cherche-Midi, où habitait, à l'hôtel de Toulouse, Pierre Foucher, chef de bureau au ministère de la Guerre.

Là on trouvait Mme Foucher, pieuse et douce personne, encore fraîche, et sa fille Adèle à la beauté espagnole, jadis compagne de jeux pour les trois garçons Hugo. *Tres para una.* Ils avaient peine à croire qu'ils eussent, dix ans

Adèle Foucher
qui devint en 1822
Mme Victor Hugo.

Pierre Foucher, le père d'Adèle.

plus tôt, aux Feuillantines, promené dans une brouette et balancé sur l'escarpolette cette adorable jeune fille.

Adèle Foucher. Un jour qu'elle se trouvait seule avec Victor sous les grands marronniers, elle lui dit : « Tu dois avoir des secrets ; n'en as-tu pas un qui est le plus grand de tous ? » Il en convint. « C'est comme moi, dit-elle. Eh bien, écoute : dis-moi quel est ton plus grand secret, je te dirai le mien. — Mon grand secret, répondit Victor, c'est que je t'aime. — Mon grand secret, c'est que je t'aime », répéta-t-elle. Cela se passait le 26 avril 1819. Ils étaient tous deux timides et sages, lui ardent et grave, elle très pieuse. Cet amour demeura tout à fait innocent et n'en fut que plus fort. « Après ta réponse, mon Adèle, j'eus un courage de lion. »

Sophie Hugo était une mère dévorante, jalouse et fière de son fils. Elle savait, à n'en point douter, Victor destiné à une gloire éblouissante. En outre, il était fils du général comte Hugo. Allait-il, à dix-huit ans, gâcher sa vie en épousant une petite Foucher ? L'idée de fléchir sa mère ne lui vint même pas. Victor la savait « inébranlable et inexorable », « aussi intolérante dans ses haines qu'ardente dans ses affections ».

L'amour le fuyait ; il chercha consolation dans le travail. Abel décida que les trois frères Hugo auraient enfin leur revue. Le journal de leur maître, Chateaubriand, s'appelait *Le Conservateur ;* leur revue serait *Le Conservateur littéraire.* Elle parut de décembre 1819 à mars 1821 et fut surtout rédigée par Victor. On demeure confondu, quand on parcourt cette collection, par l'intelligence et l'érudition de cet enfant. Critique littéraire, critique dramatique, littératures étrangères, il parle de tout avec une richesse de références qui prouve une réelle culture, surtout latine et grecque.

Victor essayait aussi d'exprimer son amour en écrivant un roman frénétique, *Han d'Islande,* où il se peignait sous le nom d'Ordener et Adèle sous celui d'Ethel. *Han d'Islande,* inachevé, ne put paraître dans *Le Conservateur littéraire,* qui s'était éteint en mars 1821 ou, plus exactement, avait fusionné avec les *Annales de la Littérature et des Arts.* La fusion est, pour les revues, la forme la plus honorable du suicide.

Le Conservateur littéraire avait été, pour l'enfant sublime, une utile expérience. Il y avait en ce jeune homme autre chose et plus qu'un grand journaliste, mais il possédait et allait toute sa vie conserver ce don précieux : l'art de donner au quotidien une intensité dramatique.

Ne supportant pas de vivre au troisième étage et sans jardin, la générale Hugo avait déménagé pour aller, en janvier 1821, rue de Mézières, n° 10, dans un rez-de-chaussée loué par Abel. Les fils, habitués par elle à travailler de leurs mains (et d'ailleurs artisans par tradition familiale), s'étaient faits menuisiers, peintres, tapissiers, teinturiers, car leur mère n'avait plus de ressources pour s'installer. Mme Hugo et ses enfants bêchaient, plantaient, greffaient, ratissaient. Elle se fatigua, s'échauffa, prit froid et eut une grave

Illustration représentant les héros de *Han d'Islande,*
premier roman de Victor Hugo.

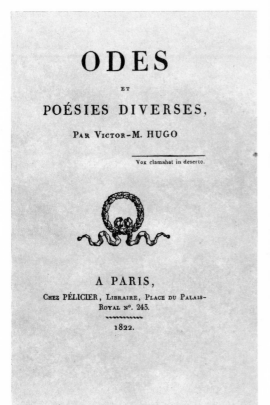

Couverture du premier volume
publié par Victor Hugo en 1822,
Odes et Poésies diverses.

fluxion de poitrine. Ses fils passèrent des nuits à la soigner. Le 27 juin, à trois
heures, elle mourut dans leurs bras.

M. Foucher fit, rue de Mézières, une visite de condoléance et conseilla
vivement à Victor de quitter Paris. La vie y était chère et ces jeunes hommes
semblaient bien pauvres. Victor avait écrit à son père pour lui annoncer
l'affreuse nouvelle.

Les Foucher se dirent que, s'ils louaient pour l'été, comme d'habitude,
une maison proche de Paris, ils y verraient arriver le jeune Hugo. Ils décidèrent d'aller à Dreux. La ville était, en diligence, à vingt-cinq francs de Paris,

Victor Hugo à vingt ans.

et Victor n'avait pas vingt-cinq francs. C'était oublier qu'il possédait mieux que de l'argent : une volonté de fer et le goût de l'aventure. Les Foucher et leur fille partirent en voiture, le 15 juillet; Victor suivit dès le 16. Les jeunes gens s'aimaient. Pierre Foucher décida que les fiançailles ne seraient pas déclarées, qu'il n'ouvrirait pas encore sa maison à Victor, mais qu'Adèle et son prétendant désigné seraient autorisés à s'écrire.

Le 8 mars 1822, aiguillonné par Adèle, Victor se décida enfin à demander le consentement du général. La lettre fut communiquée à Adèle, qui la trouva très bien, hors la peinture angélique qui y était faite d'elle-même. Suivirent quelques jours d'attente anxieuse. Ils parlèrent, en cas de refus du père, de s'enfuir ensemble et d'aller se marier en quelque pays étranger. Cette fois la jeune fille bien élevée de la rue du Cherche-Midi acceptait les audaces de la passion. Vaines audaces, car la réponse du général, sage en somme, fut un consentement, sous condition : « ... Il faut que tu aies un état ou une place, et je ne considère pas comme telle la carrière littéraire, quelle que soit la manière brillante dont on y débute. Quand donc tu auras l'un ou l'autre, tu me verras seconder tes vœux auxquels je ne suis point contraire... »

Aussi Victor pressait-il la publication en volume des *Odes*. C'était le *Les Odes.* généreux Abel qui les avait fait imprimer, puis confiées pour la vente au libraire Pélicier, place du Palais-Royal, et avait fait à son frère la délicate surprise de lui envoyer des épreuves. Le volume parut en juin, sous couverture

La maison que les Foucher, futurs beaux-parents de Victor Hugo, louèrent à Gentilly pour l'été 1822, été des fiançailles d'Adèle et de Victor.

Médaillons faits par David d'Angers quelque temps après le mariage d'Adèle et de Victor Hugo.

gris-vert, tirage à quinze cents. L'auteur recevait cinquante centimes par volume, soit sept cent cinquante francs. Le premier exemplaire alla, comme il convenait : « A mon Adèle bien-aimée, l'ange qui est ma seule gloire, comme mon seul bonheur. — Victor. »

Le titre de ce premier livre était : *Odes et Poésies diverses*. La préface mettait l'accent sur les intentions politiques de l'auteur. La presse royaliste elle-même, sur laquelle il comptait, ne réagit guère. Il y eut peu d'articles. La critique littéraire tenait alors une place fort petite, et Hugo considérait « comme indigne d'un homme qui se respecte cette habitude qu'ont adoptée tous les gens de lettres d'aller mendier la gloire auprès des journalistes... J'enverrai mon livre aux journaux; ils en parleront s'ils le jugent à propos, mais je ne quêterai pas leurs louanges comme une aumône... » Pourtant la vente fut assez encourageante. Cela rendait le mariage plus proche, et Adèle avait maintenant l'audace d'aller, toute seule, voir son fiancé malade, à Paris, chez lui : « Tant pis pour les on-dit... Il est des cas où je viole sans remords les droits paternels... » Mais, pour se donner l'un à l'autre, ils attendirent le mariage. *Adèle à Victor* : « Trois mois encore et je serai toujours près de toi... Et quand nous pensons que nous n'aurons rien fait qui soit indigne, et que même nous aurions pu être ensemble plus tôt, mais que nous avons préféré notre propre estime à notre bonheur, certes, combien ne serons-nous pas plus heureux !... »

Les tours de Saint-Sulpice surmontées du télégraphe Chappe, telles que ▶
les voyait Victor Hugo de son grenier de la pension Cordier et Decotte.

Le mariage fut béni à Saint-Sulpice, le 12 octobre 1822, par l'abbé duc de Rohan. Les témoins du marié étaient Alfred de Vigny et Félix Biscarrat, ancien professeur de Victor chez Cordier; ceux de la mariée : l'oncle Jean-Baptiste Asseline et le marquis Duvidal de Montferrier. Le général Hugo ne vint pas à la noce.

On dîna chez les Foucher, puis un bal eut lieu dans la grande salle du Conseil de Guerre. Pendant la soirée, Biscarrat, le jeune maître d'études au visage grêlé, remarqua l'insolite agitation d'Eugène, qui semblait hors de lui et tenait des propos bizarres. Sans attirer l'attention, Biscarrat avertit Abel et tous deux emmenèrent le malheureux qui, dans la nuit, eut une véritable crise de folie furieuse. Toujours sombre, se croyant persécuté, amoureux d'Adèle, souffrant d'une jalousie ancienne et atroce, il n'avait pu supporter la vue du bonheur de son frère.

De cette tragédie, ce soir-là, les époux ne surent heureusement rien. Pour Victor, à la fois si chaste de mœurs et si ardent d'imagination, il était enivrant de posséder enfin cette fille, à ses yeux l'image même de la beauté. Une mère forte lui avait enseigné qu'on peut maîtriser les événements. Que de chemin il avait fait depuis un an ! A vingt ans, il était sur la route de la gloire; le vieux roi et les jeunes hommes le lisaient; le ministère le pensionnait; les poètes l'estimaient. Il avait conquis de haute lutte la femme qu'il s'était choisie; retrouvé l'affection d'un père; imposé à tous son choix d'une carrière. Cela semblait, après tant de malheurs, un songe heureux, plein d'ombre et d'amour, ou l'accomplissement par un magicien de tous les vœux d'un enfant. Mais le magicien, c'était lui-même. *Ego Hugo.*

Cette nuit de bonheur, il l'avait bien gagnée. Même en cet avenir décevant où Adèle deviendra l'Ève qu'aucun fruit ne tente, Hugo n'oubliera jamais qu'ils avaient ensemble goûté, en un jour très ancien, un bonheur presque surhumain. Cette petite Foucher n'avait été qu'une jeune fille comme tant d'autres, mais, telle qu'elle était, naïve, un peu butée, artiste (ses dessins le prouvent), point sotte, mais indifférente à la poésie, Adèle avait aidé à la naissance d'un poète.

Dès le matin, Biscarrat, bouleversé, frappait à la porte de la chambre nuptiale; l'état d'Eugène était effrayant. Il fallut prévenir le général, qui entreprit aussitôt le voyage de Blois à Paris : « Il n'était pas venu prendre sa part du bonheur; il voulut être du malheur. » Victor et Adèle accueillirent affectueusement le « cher papa » auquel ils devaient leur union. « Comme la gelée blanche au soleil, l'amertume du fils s'évapora aux rayons de la bonté de cet homme excellent. »

Il fut douloureux pour le père de trouver délirant ce bel Eugène qu'il avait connu, en Corse et en Italie, gros garçon blond et joyeux; puis à Madrid, collégien plein de promesses.

Cet effrayant destin fut, pour Victor, une cause permanente de tristesse et de vagues remords. N'était-ce pas lui qui, en triomphant de son frère, tant sur le plan de la poésie que sur celui de l'amour, l'avait réduit au désespoir ?

Il n'avait commis ni crime ni faute, mais c'est un fait que le thème des frères ennemis sera l'une de ses obsessions. Théâtre, poésie, roman, sous toutes les formes, il y reviendra.

De ces sombres feux intérieurs, rien ne paraît au-dehors. Tous ceux qui l'ont connu en ces premiers mois de son mariage ont remarqué son air conquérant, son allure « d'officier de cavalerie qui enlève un poste ». Si jeune, il éprouvait le désir de vivre en époux et en père. « Une atmosphère patriarcale, à la fois idyllique et sublime, naissait spontanément autour de lui. » Il lui fallait désormais gagner la vie de trois personnes, Léopold II Hugo étant né, ponctuellement, neuf mois après le mariage, le 16 juillet 1823.

Travail, travail, travail, au-dessus des grands marronniers de la rue du Cherche-Midi. De nouvelles odes naissaient. *Han d'Islande,* achevé, avait été remis à Persan, marquis devenu éditeur qui promettait, par contrat, la réimpression des *Odes* et un tirage à mille exemplaires de *Han d'Islande.* Mais, sur ses droits d'auteur, Victor ne toucha que cinq cents francs, car Persan fit faillite et, ne pouvant payer Hugo, le calomnia ; c'est la coutume. L'apprentissage du côté sordide des lettres était commencé. Il fallut, une fois encore, recourir au général.

Han d'Islande avait paru en quatre volumes, sous couverture grise, sur

La maison du père de Victor Hugo à Blois.

papier grossier et sans nom d'auteur. « Cette composition singulière, annonçait Persan, est, dit-on, le premier ouvrage d'un jeune homme connu déjà par de brillants succès poétiques. » Il faut comprendre qu'il y avait du jeu et de la parodie dans cette accumulation de meurtres, de monstres, de potences, de bourreaux, de tortures. C'était, dans le genre frénétique, un exercice de virtuosité.

Avec le général Hugo, les rapports devenaient de plus en plus affectueux. Père et fils correspondaient au sujet d'Eugène, puis du désir exprimé par le père d'être réintégré et avancé en grade. Le général Hugo avait deux objectifs : s'appuyer sur ce fils bien en cour; faire accepter par ses enfants la nouvelle Mme Hugo qui était, disait-il, « une seconde mère pour vous tous ». En fait, lorsque naquit, après des couches pénibles, le premier fils de Victor et que « le pauvre petit ange » parut dépérir, le général et son épouse l'installèrent avec sa nourrice à Blois, dans la grande maison blanche qu'ils venaient d'acheter. La fille Thomas n'était plus appelée que «la grand-mère de Léopold». Adèle broda un bonnet pour sa belle-mère.

Le 9 octobre, le petit Léopold mourut. Mais Hugo, malgré tant de malheurs (sa mère, son frère, son fils), ne jugeait pas la vie triste; il était trop occupé à vivre, à travailler, à faire l'amour. De nouveau Adèle se trouvait enceinte. « Victor, disait Émile Deschamps, fait des odes et des enfants sans se reposer. »

Émile Deschamps proposa de créer un groupe et de fonder une revue. Ce fut *La Muse française,* réunion de jeunes hommes distingués, trop distingués, aimant la poésie, royalistes par tradition. Le programme était : en religion, le merveilleux chrétien à la Chateaubriand au lieu des grivoiseries païennes de l'Empire; en politique, la monarchie selon la Charte; en amour, le platonisme chevaleresque.

Pour fonder *La Muse,* Émile Deschamps avait proposé que chacun versât mille francs. C'était trop pour le ménage Hugo. Lamartine, qui déjà préférait siéger au plafond et vivre en gentilhomme campagnard, loin du monde bruyant des lettres, refusa de faire partie du groupe, mais offrit de payer pour Hugo la cotisation. Toutefois le véritable centre du cénacle de *La Muse française* fut vite le bon Nodier. Tous ces hommes, bien que confrères, étaient bons amis. Au règne du bel esprit, disait Émile Deschamps, a succédé celui du beau cœur. On se louait les uns les autres, généreusement. La plupart des collaborateurs de *La Muse française* souhaitaient, tout en rénovant la poésie, ne point prendre parti dans la querelle romantisme-classicisme.

Nouvelles Odes.   En publiant chez le libraire Ladvocat, au mois de février 1824, ses *Nouvelles Odes,* Victor Hugo, dans sa préface, se refusait encore à faire un choix. Il s'élevait contre l'idée que la révolution littéraire serait l'expression de la révolution politique de 1789. Elle en était, affirmait le jeune Hugo, le résultat, ce qui est fort différent.

Rien de plus difficile à employer, sans chevilles ni impropriétés, que le vers court où le sens doit épouser étroitement le rythme. A vingt-deux ans, Hugo le faisait avec une souveraine aisance. Mais il était romantique sans le

Mme Victor Hugo tenant sur ses genoux Léopoldine, la fille aînée du poète.

savoir, et le critique du *Journal des Débats* le dénonça. Il reprochait au poète d'associer des idées abstraites et des images physiques.

Les finances du ménage s'amélioraient. Pour le droit de publier, pendant deux ans, les *Nouvelles Odes,* le libraire Ladvocat payait deux mille francs. Le général versait chaque mois une petite rente, et Victor, qui touchait maintenant deux pensions royales, engageait son père à suivre, « pour le payer, ses aises avant tout ». La jeune famille avait pu emménager, en 1824, dans un petit appartement, au-dessus d'un menuisier, 90, rue de Vaugirard. Loyer annuel : six cent vingt-cinq francs. Là naquit, le 28 août, Léopoldine Hugo. « Notre Didine est charmante. Elle ressemble à sa mère, elle ressemble à son grand-père... » La générale comtesse fut marraine. Démarche politique.

Naissance de Léopoldine.

La rue de Vaugirard devint, pour beaucoup de jeunes écrivains, un point de ralliement. Le ménage Hugo était, à leurs yeux, exemplaire. Mme Victor Hugo répandait, sur cet intérieur calme, tout consacré au travail, le rayonnement de sa beauté. Les *Odes* apparaissaient au cénacle comme l'écho doux et solennel de cette vie « chaste et solitaire ». Lamartine venait parfois dîner rue de Vaugirard, aîné un peu distant, noble et cavalier. Il était candidat à l'Académie française et en souffrait.

La maladie d'Eugène, en retenant le général à Paris, avait amené, entre Victor et son père, un rapprochement, non seulement familial, mais spirituel. Le père triomphant et sévère avait jadis suscité un antagonisme; le père à la retraite, s'appuyant sur le fils déjà célèbre, inspirait l'indulgence, la piété et aussi la fierté pour les exploits passés, dont Adèle et Victor aimaient à écouter le récit.

Par son père, mieux connu, mieux aimé, il se rapprochait aussi de l'Empereur. Vivant, Napoléon avait été « le tyran » haï de sa mère. Après la tragédie de Sainte-Hélène, il était devenu un héros persécuté et, au fond de son cœur, Hugo sentait que, pour un poète français, il était plus beau de chanter « tous ceux de Friedland, tous ceux de Rivoli » que de semer d'odes sur commande les éphémérides de la famille royale.

De 1826 à 1829, Hugo travailla beaucoup, apprit beaucoup, inventa beaucoup. Ce serait une erreur que de tenir compte, pour mesurer les progrès géants qu'il fit alors dans son art, des dates de publication : *Odes et Ballades* (fin 1826), *Cromwell* (1827), *Les Orientales* (1829). Il réservait parfois un texte pendant deux ou trois ans. *Les Orientales* contiennent des poèmes écrits en 1826; l'adorable Chanson du Fou de *Cromwell* est déjà en épigraphe dans les *Odes et Ballades*.

Dessin à la plume de Victor Hugo, intitulé « Le Rêve ».

Frontispice de l'édition de 1829 des *Orientales*.

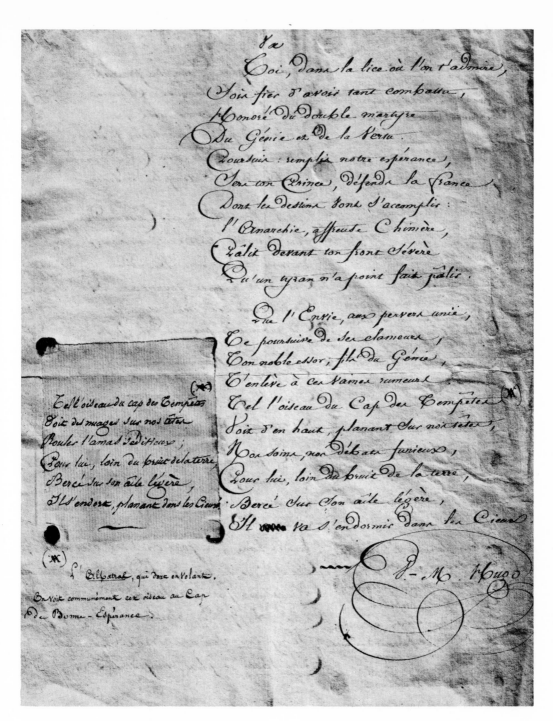

Page manuscrite des *Odes et Ballades*.

Le Globe, journal intelligent et grave, avait été jusqu'alors peu favorable à Victor Hugo. Feuille libérale, de culture internationale, *Le Globe* avait été agacé, parfois irrité, par *La Muse française* et son catholicisme de salon. Pourtant le directeur, Paul-François Dubois, professeur et journaliste autoritaire, voire coléreux, amené chez « l'ange Victor », comme disait Sophie Gay, s'avouait charmé du jeune ménage.

Odes et Ballades. Quand les *Odes et Ballades* furent publiées, Dubois, qui gardait une pensée affectueuse à la Sainte-Famille de la rue de Vaugirard, passa le volume à l'un de ses anciens élèves du collège Bourbon, Charles-Augustin Sainte-Beuve, dont il avait fait au *Globe* un critique. Le critique était encore plus jeune que le poète, deux ans de moins, mais il avait une vaste culture, le sentiment des nuances et l'une des intelligences les plus pénétrantes de son temps. La finesse du goût et la sûreté du jugement étaient ses dons naturels. Un reste de foi chrétienne luttait en lui avec un esprit réaliste et sceptique, formé par des études scientifiques. Lyrique et positiviste, il ne rêvait qu'un bonheur : l'amour, et souffrait de ne pas l'inspirer. La vie intérieure l'intéressait plus que le pittoresque de la phrase. Il admira le « style de feu, étincelant d'images, bondissant d'harmonies », mais ce qu'il loua surtout, dans les *Odes et Ballades,* ce furent les rares poèmes que Victor Hugo, dépassant la virtuosité, avait, pour celle qu'il aimait, tiré du profond de son âme.

On conçoit la joie des jeunes époux lisant, le 2 janvier 1827, sur les vers les plus chers à leur cœur, dans un journal d'habitude sévère, ces éloges. Peu importaient les réserves ; le ton était amical et même respectueux ; Goethe, qui le lut, ne s'y trompa pas. Le 4 janvier, il dit à Eckermann : « Victor Hugo est un vrai talent, sur lequel la littérature allemande a exercé de l'influence. Sa jeunesse poétique a été malheureusement amoindrie par le pédantisme du parti classique, mais maintenant le voilà qui a *Le Globe* pour lui ; il a donc partie gagnée... » Le génie reconnaît le génie.

L'article du *Globe* était signé : S. B. Victor écrivit à Dubois pour demander qui était S. B. Dubois ayant répondu : « Il habite à côté de chez vous, rue de Vaugirard, au nº 94 », Hugo alla tirer la sonnette du voisin. Sainte-Beuve était absent, mais, le lendemain, vint chez les Hugo. Ils virent un jeune homme timide, frêle et mal fait, un peu bafouilleur, au nez long. Ses cheveux roux, sa tête ronde, trop grosse pour son corps, n'étaient pas beaux.

Cromwell. Victor Hugo, depuis un an, travaillait à un drame : *Cromwell.* Il avait toujours eu le goût du théâtre et, dès l'enfance, avait écrit des pièces. Il avait lu tout ce qu'il avait pu trouver sur la vie d'Olivier Cromwell, près de cent volumes, puis, en août 1826, s'était mis au travail. Taylor, l'ami de Vigny, anobli par Charles X et devenu commissaire royal à la Comédie-Française, lui ayant demandé pourquoi il ne faisait rien pour le théâtre, Hugo parla de son *Cromwell.* Taylor le fit déjeuner avec Talma, auquel le poète expliqua ce qu'il voulait faire : le drame substitué à la tragédie, Shakespeare à Racine, le style ayant toutes les allures, de l'héroïque et du bouffon, la suppression de la tirade et du vers à effet. « Ah ! oui, avait dit Talma, pas de beaux vers ! »

Portrait de Talma, le célèbre acteur, par Riesener.

Maison de Victor Hugo, ▶
rue Notre-Dame-des-Champs.

Sainte-Beuve,
à l'époque de son amitié
avec Victor Hugo.

Mais Talma était mort la même année; le drame était devenu trop long; la représentation semblait impossible ou lointaine. Victor Hugo décida de lire *Cromwell* à ses amis. Les lectures étaient alors à la mode. Le lendemain, 13 mars 1827, Sainte-Beuve écrivit à Hugo une lettre qui est d'un intérêt capital.

L'opposition entre les deux tempéraments apparaissait en pleine lumière. Hugo, vigoureux, ne pouvait, ni ne devait renoncer aux cimes; Sainte-Beuve, délicat et fragile, ne respirait que sur « les coteaux modérés ». Il avait compris le romantisme comme il comprenait toutes choses, mais « un vaudeville de parodie » accompagnait en son esprit la grande pièce. Hugo, poète-né, sentait le prix des idées suggérées par la rime, comme Michel-Ange celui des formes suggérées par le bloc de marbre; Sainte-Beuve, prosateur, croyait à la nécessité d'un lien logique entre les idées. Aussi ses vers n'atteignaient-ils jamais à cette folie réglée qui est la poésie. Hugo, plus complet, savait se plier, quand il le voulait, aux exigences de la prose. La préface de *Cromwell* le prouva bien.

Elle fut écrite après le drame et accueillie, surtout par la jeunesse, avec un enthousiasme inouï. Pour Hugo, elle constituait enfin un choix et un engagement. Harcelé par des classiques hargneux et sots, il prenait la tête des révoltés.

Naissance de Charles. Si Hugo parut jamais un homme heureux, ce fut en 1827 et 1828. Un fils, Charles, lui était né en 1826. L'entresol de la rue de Vaugirard devenait trop petit; il loua une maison entière, 11, rue Notre-Dame-des-Champs, « vraie chartreuse de poète, perdue au fond d'une allée ombreuse », derrière laquelle un jardin romantique s'ornait d'une pièce d'eau et d'un pont rustique. Sainte-Beuve, qui ne pouvait plus se passer des Hugo, était venu habiter à côté de chez eux, au n° 19, un appartement qu'il partageait avec sa mère.

Caricature de Paul Foucher,
le beau-frère de Victor Hugo.

Chacun voit la nature à travers un tempérament. Hugo aimait à la folie ce Vaugirard populaire, ces chansons, ces clameurs, ces baisers sans vergogne; le délicat Sainte-Beuve soupirait : « Oh ! que la plaine est triste autour du boulevard ! » Aussi n'était-ce pas souvent avec lui que, chaque soir, Victor Hugo, lorsque ses yeux étaient fatigués par le travail, partait à pied vers le hameau de Plaisance et le soleil couchant. Une petite cour l'entourait; il y avait son frère Abel, son beau-frère Paul Foucher, plus toute une bande d'artistes et de poètes. Ils s'étaient recrutés en chaîne. Hugo gardait, entre autres génies, celui de s'attacher les jeunes hommes. Pavie mit Victor Hugo en rapport avec le sculpteur David d'Angers, déjà célèbre, et qui défendait un art vivant et moderne. Déjà s'étaient attachés à la cour du poète des peintres et lithographes : Achille et Eugène Devéria, deux beaux garçons d'allure fière qui faisaient atelier commun avec Louis Boulanger et qui, par miracle, habitaient, eux aussi, rue Notre-Dame-des-Champs.

Les soirs d'été, on sortait en bande; on allait manger des galettes au Moulin de Beurre; puis on dînait dans une guinguette, sur une table de bois; en chantant et discutant.

Souvent, aussi, il leur disait des *Orientales*. D'où lui était venue l'idée de peindre un Orient de convention ? C'était la mode. La Grèce luttait pour sa liberté; Byron venait de mourir pour elle. Les libéraux du monde entier la défendaient, et les artistes amis de Hugo étaient libéraux. Delphine Gay, Lamartine, Casimir Delavigne, tous écrivaient des poèmes philhellènes. Avec *Les Orientales,* Hugo « fit l'unité du romantisme ».

Les Orientales.

Portrait du peintre Eugène Devéria par Achille Devéria.

Portrait du sculpteur David d'Angers.

Comme beaucoup de ceux dont la jeunesse fut austère, Hugo, à vingt-sept ans, commençait à vivre; il éprouvait un appétit de bonheur encore inassouvi et jouissait voluptueusement de son succès. Qu'il ait vécu alors un drame intérieur, cela est probable. On ne change point de camp sans être déchiré et, sur un autre plan, le jeune mari éprouvait, parmi ses peintres et leurs modèles, des tentations. La morale de la plaine de Vaugirard n'était pas celle de la rue du Cherche-Midi.

Adèle, presque toujours enceinte ou nourrice, très lasse, était loin de partager les ardeurs sensuelles de ce « vendangeur ivre ». Peut-être pensait-il, malgré lui, à d'autres femmes.

Dans ses vers de 1829, on sent affleurer la sensualité sanguine du général. En conversation, le chaste poète des *Odes* a des poussées de libertinage. Dans *Les Orientales,* à côté de la muse de *Premier Soupir,* brillait « une Péri éblouissante, chaque jour en train d'embellir ».

Pour l'édition originale des *Orientales,* chez Bossange, il a touché trois mille six cents francs. De Gosselin, autre éditeur, sept mille deux cents francs pour une édition in-12 des *Orientales, Bug-Jargal, Le Dernier Jour d'un Condamné* et un roman encore à écrire : *Notre-Dame de Paris.*

◀ Portrait d'Achille Devéria.

Frontispice de *Bug-Jargal*
par Devéria.

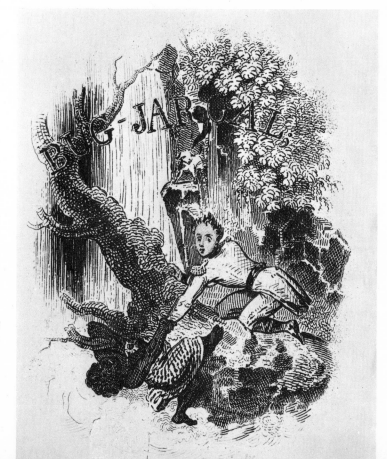

Un cahier : « Drames que j'ai à faire », contenait des plans qui allaient devenir, ou étaient devenus déjà : *Marion Delorme, Les Jumeaux, Lucrèce Borgia* et d'autres jamais exécutés : *Louis XI, La Mort du duc d'Enghien, Néron*. Au bas d'une page toute chargée de titres, cette note : « Quand cela sera fait, je verrai. » Une telle force engendre une prodigieuse confiance en soi. Oui, sans doute. Il est plus impérial que royal. Comme le jeune Bonaparte, il domine, non par droit de naissance, non par droit divin, mais par droit de conquête et par droit de génie, et il crie tout joyeux, avec un air sublime : « L'avenir, l'avenir, l'avenir est à moi ! » Il était loin alors de penser que l'approfondissement par la douleur lui viendrait de la jeune femme silencieuse qu'il avait associée à sa vie et de cet ami aux cheveux roux, au visage ingrat, qui lui disait, sur son œuvre, des choses si fines et si utiles. Alors qu'il jouissait, en pleine sécurité, de ses triomphes, il était au bord d'une catastrophe.

Alfred de Vigny.

Lecture d'une pièce au foyer de la Comédie-Française.

Le Parvis Notre-Dame.

Hugo, parfait musicien du langage, ne prêtait pas assez d'attention à la vie intérieure; Sainte-Beuve, poète par la sensibilité, péchait, en poésie, par la gaucherie et par la mollesse de la forme.

Il s'était peint lui-même, en toute sa désolation, dans un livre non signé : *Vie, Pensées et Poésies de Joseph Delorme.* Joseph Delorme voulait devenir un grand poète et l'inspiration le fuyait : « Quels tressaillements douloureux il ressentait à chaque triomphe nouveau de ses jeunes contemporains ! » Joseph Delorme n'avait pas de maître, point d'amis, nulle religion : « Son âme n'offrait plus qu'un inconcevable chaos où de monstrueuses imaginations, de fraîches réminiscences, des fantaisies criminelles, de grandes pensées avortées, de sages prévoyances suivies d'actions folles, des élans pieux après des blasphèmes s'agitaient confusément sur un fond de désespoir... » Il se disait pur, « malade et dévoré de n'avoir point aimé ».

A la fin de 1828, Sainte-Beuve avait communiqué à Hugo ces « méchantes pages » et lui avait demandé s'il ne serait pas trop inconvenant et ridicule de livrer au public ces « nudités d'âmes ». Hugo avait répondu par un billet chaleureux. Jour de bonheur pour le pauvre Sainte-Beuve. Il s'était, un instant, cru grand poète. En janvier 1829 parurent *Les Orientales* ; en mars 1829, *Joseph Delorme. Les Orientales* firent plus de bruit, mais leur diligent auteur étudia soigneusement la leçon de *Joseph Delorme* et en retint la possibilité d'une poésie intime et personnelle.

Les succès de son ami inspiraient alors à Sainte-Beuve plus d'humilité que de jalousie. Il se faisait, dans ses écrits, le champion du romantisme hugolien et suppléait, par la chaleur du ton, à la faiblesse des convictions. Car il n'avait jamais été authentiquement romantique.

L'année 1829 fut, pour Victor Hugo, toujours grand travailleur, l'une des plus laborieuses. Il avait commencé *Notre-Dame de Paris,* écrivait de nombreux poèmes et surtout voulait conquérir le théâtre. *Cromwell* n'avait pas été représenté, il était décidé à jouer sa partie sur un autre sujet : *Marion Delorme* (premier titre : *Un Duel sous Richelieu*). Cela se passait au temps de Louis XIII, histoire assez banale de la courtisane purifiée par son amour pour un jeune homme chaste et sévère.

Le 14 juillet, le Théâtre-Français reçut la pièce par acclamations. Trois jours plus tard, Vigny lut son *More de Venise* devant les mêmes hommes de lettres. L'accueil fut non moins chaleureux que celui fait à *Marion Delorme.* La censure, alors puissante, autorisa le *More* et interdit *Marion.* Mais, Hugo ayant toujours été un écrivain ami du trône, on s'efforça de l'apaiser par des faveurs et une nouvelle pension de deux mille francs lui fut offerte. Il refusa, par une lettre fort digne.

Et aussitôt, avec une puissance de travail qui tenait du prodige, il se mit à écrire un autre drame, *Hernani.* Le sujet rappelait *Marion Delorme.* En épigraphe : *Tres para una.* Trois hommes pour une femme : l'un jeune, ardent, proscrit comme il convenait, c'est Hernani ; le second, vieillard impitoyable, Don Ruy Gomez de Silva ; le troisième, empereur et roi, Charles Quint. Les sources sont mal connues, sans doute le *Romancero,* Corneille, des tragédies espagnoles ; il est certain que le poète puisa dans ses propres *Lettres à la Fiancée* beaucoup de thèmes amoureux. *Hernani* est le drame qu'il avait lui-même vécu avec Adèle.

La pièce fut écrite avec une incroyable rapidité. Commencée le 29 août, terminée le 25 septembre, lue aux amis le 30, au Théâtre-Français le 5 octobre, et reçue par acclamations. La censure accorda le visa, non sans résistances.

Pendant toute l'année 1829, Hugo travailla du matin au soir et parfois du soir au matin, soit qu'il écrivît, soit qu'il dût courir au théâtre et chez des éditeurs, soit qu'il explorât le vieux Paris autour de Notre-Dame ou composât en marchant dans les jardins du Luxembourg. Sainte-Beuve avait pris la douce habitude de venir rue Notre-Dame-des-Champs chaque après-midi, et souvent deux fois par jour. Il trouvait maintenant Mme Hugo seule, près du pont rustique, dans le jardin. La naissance et l'allaitement de François-Victor l'avaient plongée dans la rêverie physiologique qui, chez tant de femmes,

Naissance de François-Victor.

Théophile Gautier.

accompagne ces états. Seul avec elle, Sainte-Beuve découvrit que, hors de la présence de son illustre époux, elle glissait aux confidences.

Pourquoi pleurait-elle ? Parce que toutes les femmes pleurent; parce qu'il est doux d'être plainte; parce que le mariage avec un homme de génie, quelquefois, lui pesait; parce que cet illustre époux était un amant puissant et insatiable; parce qu'elle avait déjà eu quatre enfants; parce qu'elle craignait d'en avoir d'autres; parce qu'elle se sentait confusément opprimée. Sainte-Beuve se gardait de toute parole imprudente, chantait la gloire de Victor, mais se disait uni à la belle interlocutrice « par la fraternité de la douleur » et se laissait doucement « ramener par elle au Seigneur ».

Le Jour de l'an 1830 marqua, hélas ! la fin de ces moments célestes et fugitifs. En janvier, le ménage Hugo vécut tumultueusement. La Comédie-Française répétait *Hernani,* et les répétitions n'étaient qu'un long combat entre l'auteur et les interprètes.

La bataille d'Hernani.

Victor Hugo, absorbé par ses répétitions, ne vivait plus guère chez lui. Lui, qui s'était piqué de se montrer mari et père modèle, n'appartenait plus à sa famille. Il fallait à tout prix qu'*Hernani* réussît, car procès et démarches avaient absorbé les réserves du ménage. Adèle, dont la bourse était vide, se donnait tout entière, au côté de son mari, à cette campagne salvatrice.

Maintenant, Sainte-Beuve, quand il arrivait à trois heures pour sa visite quotidienne, trouvait Mme Hugo entourée de garçons chevelus, penchés avec elle sur un plan de la salle. Le jour de la première (25 février 1830), il vint avec Hugo, huit heures avant la représentation, surveiller l'entrée, dans la salle encore obscure, des fidèles. Le jeune Théophile Gautier, qui commandait tout un peloton de billets rouges, portait son fameux pourpoint rose, un pantalon vert d'eau très pâle et un habit à revers de velours noir. Il s'agissait, par l'excentricité du costume, d'horripiler les Philistins. Les loges se montraient avec horreur les singulières chevelures de l'école moderne.

Quand déferla l'ovation finale, « toute la salle se tourna vers un ravissant visage de femme, encore pâle de la préoccupation du matin et de l'émotion du soir; le triomphe de l'auteur se réfléchit dans la plus chère moitié de lui-même ».

Ces trois dessins sont l'œuvre de Mme Victor Hugo.

Charles Hugo.

Les recettes dépassaient toutes prévisions. *Hernani* renfloua le jeune ménage. Les billets de mille francs, jusqu'alors si rares en cette maison, s'entassèrent dans le tiroir d'Adèle. Victor, triomphant, s'accoutumait à l'adoration.

Sainte-Beuve avait la rage au cœur. Il venait d'apprendre que les Hugo allaient déménager en mai pour aller vivre dans l'unique maison de la nouvelle rue Jean-Goujon. Le propriétaire de la rue Notre-Dame-des-Champs, effrayé par les rapins hirsutes et débraillés d'*Hernani,* avait donné congé; mais le comte de Mortemart leur louait le second étage de l'hôtel qu'il venait de faire bâtir. Leur fortune toute neuve leur permettait les Champs-Élysées. Adèle attendait son cinquième enfant, et Hugo n'était pas fâché de l'éloigner de Sainte-Beuve. Finies, les douces visites quotidiennes. Et, d'ailleurs, demeuraient-elles possibles ? Le mélange de haine et d'admiration que Joseph Delorme éprouvait à l'égard de Hugo devenait irrespirable. Il savait maintenant qu'il aimait Adèle, non d'amitié, mais d'amour. Adèle pleurait beaucoup, et son époux le remarquait avec douleur.

Le 25 juillet 1830, les folles ordonnances de Polignac contre les libertés indignèrent Paris. Le 27, des barricades s'élevèrent. Le 28, il y avait 32 degrés à l'ombre. Les Champs-Élysées, morne plaine abandonnée en temps ordinaire aux maraîchers, se couvrirent de troupes. On était, dans ce quartier lointain, isolé de tout et sans nouvelles. Des balles sifflèrent dans le jardin. Adèle

Adèle Hugo

François-Victor.

avait, la nuit précédente, mis au monde une seconde Adèle, grasse et joufflue. *Naissance d'Adèle.*
On entendait au loin la canonnade. Le 29, un drapeau tricolore monta sur les
Tuileries. Que faire ? La république ? La Fayette, qui aurait pu la présider,
craignait les responsabilités autant qu'il aimait la popularité. Il mit le drapeau
républicain dans la main du duc d'Orléans. Il n'y avait plus de roi de France;
il y avait un roi des Français. Victor Hugo accepta tout de suite le nouveau
régime. Depuis l'interdiction de *Marion Delorme,* il était en froid avec le
Château, mais ne croyait pas la France mûre pour une république.

Son ode à la Jeune France fut beaucoup meilleure, littérairement, que ses
odes légitimistes de jadis, ce qui était un indice de sincérité.

Il souhaitait que ce poème parût dans *Le Globe,* journal libéral. Sainte-Beuve,
revenu de Normandie, négocia cette conversion. Hugo était allé le voir à
l'imprimerie du journal, pour lui demander d'être le parrain de sa fille. Sainte-
Beuve avait hésité, puis accepté sur l'assurance qu'Adèle le souhaitait.

Tout allait bien pour lui, Hugo était garde national, au 4e bataillon de la
1re légion, et secrétaire de conseil de discipline, ce qui ne comportait pas
de tour de garde. Sa pièce jouée, son adhésion acceptée, il pouvait enfin se
remettre à *Notre-Dame de Paris.*

Besogne urgente. L'éditeur Gosselin, qui avait été celui des *Orientales,*
possédait un traité. Victor Hugo « s'acheta une bouteille d'encre et un gros
tricot de laine grise qui l'enveloppait du cou à l'orteil, mit ses habits sous

clef pour n'avoir pas la tentation de sortir et entra dans son roman comme dans une prison... » raconte un témoin de sa vie.

Au début de janvier 1831, Hugo termina *Notre-Dame de Paris*. Il avait écrit, en six mois, ce long roman; il l'avait achevé dans l'ultime délai fixé par Gosselin. A la vérité, il s'agissait seulement d'écriture et de composition; les documents avaient été assemblés en trois ans. L'archidiacre, Claude Frollo, était un monstre; Quasimodo, un de ces nains hideux à grosse tête dont fourmillait l'imagination hugolienne; la Esmeralda, une gracieuse vision plutôt qu'une femme.

Pourtant ces personnages allaient vivre dans les esprits d'hommes de tous pays et de toutes races. C'est qu'ils possédaient la grandeur élémentaire des mythes épiques et cette vérité, plus intime, que leur communiquaient des liens occultes avec les fantômes de l'auteur. Capable d'aimer ou de haïr des objets inanimés, il prêtait une vie extraordinaire à une cathédrale, à une ville, à un gibet. Son livre allait exercer une influence profonde sur l'architecture française. Les édifices antérieurs à la Renaissance, jusqu'alors tenus pour barbares, furent désormais vénérés comme des Bibles de pierre. Un comité des monuments historiques fut créé. Hugo (formé par Nodier) avait, en 1831, déterminé une révolution dans le goût.

Un mari glorieux ne fait pas nécessairement un mari aimable. Bien au contraire. Comme la mère se donne à son enfant, le poète se donne à son œuvre. Il devient exigeant, dominateur, autoritaire. Adèle, comme elle l'avait prévu dès les fiançailles, trouvait en Victor un seigneur tyrannique; elle

Couverture de *Notre-Dame de Paris*, illustrée par Tony Johannot pour l'édition de 1831.

Personnages de *Notre-Dame de Paris* :
Quasimodo le bossu,
Esmeralda et sa chèvre,
Gringoire.

regrettait le confident timide et soumis. Il est certain qu'elle revit secrètement Sainte-Beuve; qu'elle le vit seul; qu'elle lui rapporta, sans prudence, les propos de son époux; et même que le couple clandestin prit l'habitude, loin du « Cyclope », de le critiquer sans indulgence.

Ce passage du loyalisme conjugal à la trahison de cœur et d'esprit prit quelques mois. En avril 1831 Adèle fit pression sur les deux hommes pour une réconciliation. Qu'elle fût malade de ces querelles les touchait encore tous deux. Sainte-Beuve écrivit à Hugo : « Puis-je aller vous serrer la main ? » Hugo répondit : « Vous viendrez dîner un de ces jours avec nous, n'est-ce pas ? » A ce moment Sainte-Beuve avait lu *Notre-Dame de Paris*. Malgré un assaisonnement de louanges, il n'aimait pas assez le livre pour faire un article, Hugo le savait et l'invitation était donc désintéressée. Cette reprise d'une demi-intimité ne fut pas heureuse. La confiance manquait, de part et d'autre. Hugo épiait, quand ils étaient ensemble, sa femme et son ami. Seul

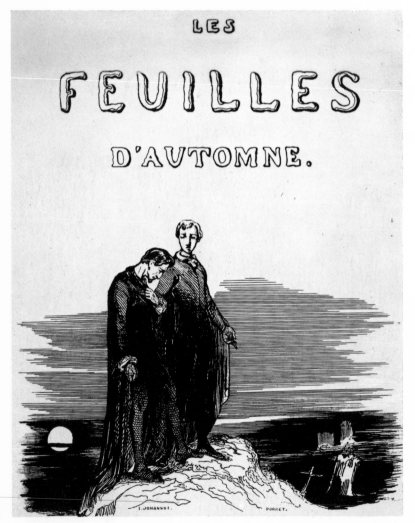

Illustration
de l'édition de 1831
des *Feuilles d'Automne*.

avec Adèle, il lui faisait des scènes. Elle essaya d'abord de l'apaiser par la douceur. Puis elle perdit patience : « Est-ce ma faute si je t'aime moins quand tu me tortures ? » Alors il se jetait à ses pieds, puis lui écrivait : « Pardonne-moi. »

Sainte-Beuve écrivait, pour la bien-aimée, des vers où le tutoiement poétique renforçait l'intimité; il tenait ces élégies amoureuses pour le meilleur de son œuvre. Elle répondait par des lettres où elle appelait Sainte-Beuve : « Mon cher ange... Cher trésor... » Pauvre Adèle ! La petite Foucher, fille de la souris de bureau proprette, n'était faite ni pour le drame romantique ni pour la comédie amoureuse. C'était une femme d'intérieur, parfaite mère de famille, affectueuse. Ses sens demeuraient parfaitement calmes. Elle aurait voulu garder le mari et l'ami, tous deux chastement.

Hugo avait joué toute sa vie sur cet amour; il avait lutté trois ans pour conquérir cette femme; il avait vécu huit ans dans l'illusion d'être pour elle l'objet d'une religieuse adoration. Il avait rêvé de former le ménage idéal, à la fois romanesque, sensuel et pur. Absorbé dans son œuvre et son combat, il n'avait pas deviné près de lui ce cœur déçu. Le réveil fut effroyable. Mais un poète peut, par une mystérieuse transmutation, changer sa douleur en chants. En novembre 1831 parurent *Les Feuilles d'Automne*.

Ce recueil passait infiniment les *Odes et Ballades* et *Les Orientales*. Sainte-Beuve, mauvais hôte, avait été bon maître. Passant par le creuset du magicien, la poésie intime de Joseph Delorme avait atteint à la perfection de la forme sans perdre son « je ne sais quoi de plaintif ».

Les Feuilles d'Automne.

Feuilles d'un automne précoce. L'âme, en vivant, s'est altérée.

A force de marcher l'homme erre, l'esprit doute.
Tous laissent quelque chose aux buissons de la route.
Les troupeaux leur toison, et l'homme sa vertu.

Nul n'a mieux dit que Sainte-Beuve à la fois l'émouvante beauté et le douloureux scepticisme de ces poèmes.

Une scène du *Roi s'amuse.*

1832. Victor Hugo n'a que trente ans, mais luttes et tristesses l'ont marqué. Corps et visage se sont épaissis. On ne retrouve plus en lui le charme angélique de la dix-huitième année, ni l'air vainqueur des premiers jours de son mariage. L'autorité devient plus impériale que cavalière. Hugo écrira un jour qu'il y a en lui quatre *moi* : Olympio, la lyre; Hernani, l'amant; Maglia, le rire; Hierro, le combat. Et, certes, il aime le combat, mais il aurait besoin de s'y sentir soutenu. Or les amis sûrs se font rares.

Le cas de Sainte-Beuve était singulier. Sur le plan littéraire, il restait officiellement un allié, non sans réserves; sur le plan humain, il trahissait, se donnant la passion pour excuse. Il n'allait plus chez les Hugo et se bornait à faire prendre des nouvelles de « la chère famille » quand, par exemple, au printemps de 1832, le petit Charlot eut le choléra, ou ce qu'on crut tel. Mais il rencontrait secrètement Adèle.

La maison de la place Royale, actuelle place des Vosges,
habitée par les Hugo à partir d'octobre 1832.

Victor Hugo à trente ans.

En octobre 1832, une fois de plus, les Hugo déménagèrent. Ils avaient loué, en juillet, un grand appartement, place Royale, nº 6, au deuxième étage de l'hôtel de Guéménée, noble maison bâtie vers 1604, donnant sur l'une des plus belles places de Paris : verdure, briques roses et toits d'ardoises mansardés, l'actuelle place des Vosges.

Si place et logis étaient seigneuriaux, ils se trouvaient au cœur d'un quartier populaire. « Nous autres, pauvres ouvriers du faubourg Saint-Antoine », aimait à dire Hugo. La réussite ne lui donnait pas bonne conscience. En 1828, il avait publié *Le Dernier Jour d'un Condamné* ; en 1832, ce fut *Claude Gueux*. Même thème des peines injustes. Mêmes attaques contre les lois d'une société faite pour les riches et les puissants.

Pour édifier une fortune littéraire, le chemin le plus court semble être alors le théâtre. D'autre part, Hugo sait que le théâtre peut — et doit — exercer une influence morale et politique : « Le théâtre est une tribune. Le théâtre est une chaire. » Son sujet de drame favori demeure la défense d'un réprouvé, d'un banni, contre des oppresseurs.   *Le théâtre.*

La première du *Roi s'amuse* eut lieu le 22 novembre. Bien que bousingots et Jeune France, tous ceux de Théophile, tous ceux de Devéria fussent à leur poste, la salle parut froide. Au rideau final, la bourrasque fut telle que l'acteur Ligier eut peine à nommer l'auteur. Le lendemain, le ministre, comte d'Argout,

« considérant qu'en des passages nombreux les mœurs sont outragées »,
interdit la pièce.

Le fils du général Hugo n'avait jamais craint les batailles. L'interdiction
du *Roi s'amuse,* loin de l'abattre, lui inspira un désir de revanche immédiate.
Il avait une pièce toute prête : *Le Souper à Ferrare,* trois actes en prose inspirés
par la lecture de *La Gaule poétique* de Marchangy. Les drames de Hugo étaient
loin de valoir sa poésie lyrique. Mais la scène a son esthétique particulière;
le mélodrame y avait alors triomphé de la tragédie; et il était naturel que l'on
jouât *Lucrèce Borgia* dans le théâtre où l'on avait créé *La Tour de Nesle.*

Juliette Drouet. Ce théâtre était la Porte-Saint-Martin, dont le directeur, Harel, avait pour
maîtresse Mlle George, actrice illustre. Victor Hugo lut sa pièce, une première
fois chez elle et pour elle, puis au foyer de la Porte-Saint-Martin, pour Frédérick
Lemaître. A cette seconde lecture assistait une jeune et belle actrice, Juliette
Drouet, qui voulait bien accepter un bout de rôle : celui de la princesse
Negroni. Victor Hugo ne la connaissait pas, mais l'avait entrevue un soir,
dans un bal, en mai 1832, « blanche avec des yeux noirs, jeune, grande,
éclatante », couverte de bijoux, l'une des plus radieuses beautés de Paris.
Il n'avait pas osé lui parler. Pendant la lecture, ce fut un enchantement mutuel
et immédiat. Plus tard, Victor écrira dans le carnet de Juliette : « Le jour
où ton regard a rencontré mon regard pour la première fois, un rayon est
allé de ton cœur au mien comme l'aurore à une ruine. » A la vérité, sans le
savoir, chacun des deux se trouvait en présence d'un être désemparé.

Pour Hugo, après une année humiliante, cet amour était une résurrection.
Prendre une maîtresse, passer les nuits hors de chez lui, l'avait d'abord
effarouché, lui, le poète du foyer et de la famille. Puis il en avait eu de la fierté.
Il parlait de sa conquête à tout le monde, et même à Sainte-Beuve, qui s'en
gaussait. L'ange du pardon, c'était Adèle. A la vérité, l'angélisme lui était
facile. Comment n'eût-elle pas pardonné ? Comment, ne voulant plus être
sa femme, eût-elle exigé de lui la fidélité conjugale ?

Le drame de Juliette, c'est qu'elle était devenue jadis une courtisane en
toute innocence, trouvant naturel, puisqu'elle n'avait rencontré chez les
hommes que cynisme et brutalité, de demander au moins le luxe à un prince
Demidoff ou à ses pareils. Voilà qu'elle aimait un maître exigeant, qui méprisait
toute vénalité, qui n'admettait pas le partage et qui avait trop souffert de
jalousie pour ne pas exiger des certitudes. Parce qu'il l'aimait d'un amour
« complet, profond, tendre, brûlant, inépuisable, infini », il la voulait aussi
pure que belle.

Il était prêt à pardonner si elle brisait avec son passé. Elle obéit enfin et
se trouva très pauvre.

Le sérieux, la solennité des sentiments de Victor, qui ennuyaient Adèle,
plaisaient à Juliette, et d'autant plus qu'ils alternaient avec une gaieté
d'étudiant qui la charmait.

Restait pour elle un espoir : la carrière théâtrale. Hugo, après maintes
querelles, avait promis à Félix Harel un nouveau drame pour la Porte-Saint-

Martin : *Marie Tudor*. Il y voulait donner deux rôles, presque égaux, à Mlle George et à Mlle Juliette. Les répétitions furent houleuses. A la veille de la première, le directeur dit à l'auteur : « Mlle Juliette est impossible ; Mlle Ida, maîtresse de Dumas, sait le rôle et elle est prête à le jouer. » Hugo était trop amoureux et trop équitable pour céder. La soirée commença dans un climat d'orage. Les deux premiers actes passèrent, mais, au troisième acte, les scènes de Juliette furent sifflées. Troublée par l'hostilité de ses camarades et du public, elle avait, hélas ! justifié craintes et critiques. Le lendemain, sous la pression de Sainte-Beuve, d'Adèle et des « anciens combattants d'*Hernani* », Hugo, non sans chagrin et colère, dut consentir que la malheureuse Juliette, en alléguant une indisposition (d'ailleurs réelle ; elle avait dû s'aliter), rendît le rôle. L'accueil, si cruel, des spectateurs avait achevé d'enlever à la pauvre Juliette le peu de talent théâtral qu'elle possédait.

L'année 1834 vit la brouille totale de Sainte-Beuve et de Victor Hugo, non pour des raisons sentimentales, mais par humeurs d'hommes de lettres. Pour Victor Hugo et Juliette Drouet, 1834 fut une année chaotique.

Mlle George, célèbre actrice,
qui avait été la maîtresse de Napoléon.

Costume porté par Juliette Drouet
dans le rôle de la princesse Negroni de *Lucrèce Borgia*.

Sommets sublimes, sombres abîmes. Le seul trait stable du climat changeant de leur vie commune était un mutuel amour, de corps et de cœur. Elle l'exprimait de manière touchante : « Si le bonheur pouvait s'acheter avec la vie, il y a longtemps que la mienne serait dépensée... »

Mais on ne vit ni d'amour ni d'esprit, et elle était une pauvre fille chargée de dettes. Au mois d'août, la meute des créanciers avait retrouvé la piste et aboyait si fort que Juliette dut enfin avouer à son amant le montant total de ses dettes. Vingt mille francs. Le fils de la générale Hugo, l'enfant qui longtemps n'avait eu d'autre revenu que deux sous par jour, entra dans une épouvantable colère; il dit qu'il paierait tout lui-même, peu à peu, dût-il y compromettre sa santé et sa vie, mais les promesses furent mêlées aux reproches les plus durs.

Alors commença la plus étonnante vie de pénitence et de claustration qu'ait jamais acceptée une femme, hors des ordres monastiques. Juliette, hier encore l'une des femmes les plus admirées de Paris, sertie de dentelles et de joyaux, ne devait plus vivre que pour lui, ne plus sortir qu'avec lui, renoncer à toute coquetterie et à tout luxe, bref faire pénitence. Elle accepta, par ivresse mystique de « la rédemption amoureuse ».

En ses heures libres, elle copiait les manuscrits ou ravaudait les vêtements de son amant. Cela encore lui était doux. Le côté douloureux de sa vie était que, ne pouvant sortir seule, elle l'attendait parfois plusieurs jours, regardant comme un oiseau en cage le ciel bleu. Son seul espoir d'indépendance, tenace malgré tant de mécomptes, demeurait le théâtre. Victor Hugo avait achevé un nouveau drame en prose : *Angelo, tyran de Padoue*. C'était un mélodrame à la *Lucrèce Borgia* mais bien construit et accepté d'enthousiasme par la Comédie-Française. Or Juliette y était pensionnaire. Ne pouvait-elle espérer un des deux rôles ? Elle devina que Victor Hugo redoutait de confier sa pièce à une actrice au talent discuté, guettée par la cabale, et n'osait le lui dire. Elle quitta le Théâtre-Français sans y avoir jamais joué; les deux rôles allèrent à Mlle Mars et à Mme Dorval.

Suprême humiliation pour la comédienne et sujet de crainte pour l'amoureuse : la coquetterie troublante, le charme fatal de Marie Dorval étaient connus. L'admiration éperdue de Juliette, qui tenait de la dévotion, encourageait dangereusement le poète à se déifier. Les romantiques, pour mieux fuir leur destin terrestre, se créaient alors un double sur lequel ils reportaient à la fois leurs angoisses et leurs ambitions. Byron en avait, avec *Childe Harold,* donné le premier exemple; Vigny avait *Stello ;* Musset, *Fortunio et Fantasio ;* George Sand, *Lélia ;* Sainte-Beuve, *Joseph Delorme ;* Chateaubriand, *René ;* Stendhal, *Julien Sorel ;* Goethe, *Wilhelm Meister ;* Benjamin Constant, *Adolphe*... Hugo s'incarnait en *Olympio,* « qui, a dit Maurice Levaillant, lui ressemblait comme un frère, demi-dieu né dans la solitude aux souffles confondus de l'orgueil, de la nature et de l'amour... ». Il traversait alors une pénible période, se savait détesté, se voyait calomnié. « Presque tous ses anciens amis, écrivait Henri Heine, l'ont abandonné et, pour dire la vérité,

Victor Hugo dans un groupe d'artistes contemporains en 1833 ▶

LES ARTISTES   CONTEMPORAINS.

1. Chateaubriand.   3. V. Hugo.   5. Alex Dumas.   7. de Lamartine.
2. C. Delavigne.   4. Beranger.   6. Lemercier.   8. Etienne.

Lith de Lemercier, rue du Four S.G. N°55.

N° 9.

Paris chez Bulla rue S.Jacques N°38.

Léopoldine Hugo à treize ans.

l'ont abandonné par sa faute, blessés qu'ils étaient par son égoïsme. »
La passion, au sens plein et tragique du mot, achevait de modeler un poète qui passait infiniment, non seulement celui des *Odes et Ballades,* mais celui des *Feuilles d'Automne. Les Chants du Crépuscule,* publiés à la fin d'octobre 1835, par Renduel, étaient un recueil de chefs-d'œuvre. Le titre annonçait une lumière adoucie et, en effet, après le feu d'artifice des *Orientales,* on voyait là une alliance vraiment admirable de la simplicité du ton à la rigueur du modelé.
Écrire des poèmes d'amour est naturel au jeune homme; le poète qui

approche de la maturité attend de soi-même autre chose. Victor Hugo, entre 1836 et 1840, s'inquiète de ne jouer aucun rôle public. Chanter les bois, le soleil et Juliette, ce fut bien, mais ne saurait remplir toute la vie d'un homme qui veut être « un esprit conducteur ».

Les recueils de cette période : *Les Voix intérieures* (1837), *Les Rayons et les Ombres* (1840) poseront plus de questions sur la nature profonde des choses. Au sommet des monts, à la pointe des caps, le poète se penche sur des abîmes et dialogue avec Dieu.

L'action, elle, n'exige pas de certitudes métaphysiques. « Ce siècle est grand et fort, un noble instinct le mène », et Hugo voudrait se mêler à ceux qui sculptent alors les nations. Chateaubriand, son modèle, fut pair de France, ambassadeur, ministre des Affaires étrangères. Voilà la route royale qu'il

Juliette Drouet, l'année de *Lucrèce Borgia*.

entend suivre désormais. Seulement, pour qu'un écrivain obtienne la pairie, il faut, sous Louis-Philippe, qu'il soit de l'Académie française.

Sa maîtresse et sa fille, Juliette et Didine, étaient hostiles à l'habit vert; on les avait élevées dans l'horreur de ces broderies; elles avaient de la constance dans l'esprit. Juliette craignait qu'une candidature et les obligations mondaines qu'elle entraînerait n'écartassent d'elle son amant. Quand arriva, en février 1836, le jour de l'élection (il s'agissait de remplacer le vicomte Lainé), elle annonça l'échec avec délices.

Le candidat battu et non découragé reprit la vie quotidienne. Il s'attachait de plus en plus à ses enfants. Didine, charmante, sensée, fine, discrète, demeurait sa favorite et devenait sa confidente.

Mariage de Ferdinand-Philippe, duc d'Orléans, avec la princesse Hélène de Mecklembourg, qui eut lieu en 1837, au château de Fontainebleau.

Frédérick Lemaître,
au cinquième acte
de *Ruy Blas*,
lors de la création.

Du côté de chez Juliette, tout n'était qu'amour, mais dans les orages et la pauvreté. Il l'avait installée au Marais, 14, rue Saint-Anastase, à portée de la place Royale. Ce petit appartement était tapissé de portraits et de dessins du dieu de la maison.

A la douceur d'être ainsi adoré, il était sensible. Non que l'adoration fût aveugle. Juliette avait ses rancunes et ses jalousies, fort légitimes, car un escalier — dérobé — conduisait, place Royale, directement au bureau de Victor Hugo, et Juliette, qui, elle-même, y avait été parfois reçue, n'ignorait pas que d'autres femmes y cédaient aux charmes du maître.

Peut-être Juliette n'eût-elle pas tenu sans les voyages; mais, chaque été, elle avait ces merveilleux interludes. On (c'est-à-dire Adèle) allait à Fourqueux ou à Boulogne-sur-Seine, s'installer à la campagne avec les quatre enfants et, pendant six semaines, les amants, devenus conjugaux, partaient pour Fougères, ville natale de Juliette, ou pour la Belgique, dont les carillons, les beffrois et les vieilles maisons enchantaient Hugo. Elle aurait passionnément souhaité faire avec lui un pèlerinage aux Metz, près de Bièvre, où ils avaient été si heureux au début de leur liaison; il choisit d'y aller sans elle, en octobre 1837, pour s'y trouver avec leurs souvenirs.

Le fruit de ces jours passés à errer en rêvant, au pays de sa plus douce aventure, fut un poème : *Tristesse d'Olympio*. Pourquoi « tristesse » après tant de joies ? Parce que le contraste entre l'éternelle beauté de la nature et les fugitifs bonheurs de l'homme est douloureux aux romantiques.

Tristesse d'Olympio.

En 1837, le duc d'Orléans épousa la princesse Hélène de Mecklembourg. Victor Hugo entretenait, avec l'héritier du trône, de meilleures relations qu'avec Louis-Philippe.

Victor Hugo, Vigny, Alexandre Dumas et Balzac, tels que les voyait Granville dans cette caricature de la « Grande course au clocher académique ».

Quand Louis-Philippe, pour le mariage de son fils aîné, donna un banquet à Versailles, dans la galerie des Glaces, Hugo fut invité. On l'avait placé à la table du duc d'Aumale. Le roi lui fit de grands compliments. La duchesse d'Orléans, princesse de vaste culture et de haute élévation d'âme, au beau visage franc, lui dit qu'elle était heureuse de le voir, qu'elle avait souvent parlé de lui à M. de Goethe, qu'elle savait ses poèmes par cœur et qu'elle aimait par-dessus tout celui qui commençait par : « C'était une humble église au cintre surbaissé... » Tout cela était vrai. Il devint le poète de la future reine des Français; point de réception sans lui au pavillon de Marsan.

Le duc d'Orléans s'étant étonné de voir Victor Hugo s'écarter de la scène, celui-ci répondit qu'il n'avait plus de théâtre, « la Comédie-Française étant vouée aux morts et la Porte-Saint-Martin livrée aux bêtes ». Le prince fit offrir à l'auteur, par M. Guizot, le rare privilège de créer une scène nouvelle. Ce fut la Renaissance, que Dumas et Hugo confièrent à un directeur de journal, Anténor Joly. Pour inaugurer la salle, Hugo y devait donner un drame en vers.

Ruy Blas.   Où trouva-t-il le sujet de *Ruy Blas* ? A la vérité, les sources importaient peu; le drame, par un mélange de poésie, de bouffonnerie, de fantaisie et de politique, était essentiellement hugolien.

Réception de Victor Hugo sous la coupole, aquarelle d'Hermann Vogel. ▶

La pièce, écrite en un mois, était la meilleure qu'il eût composée. Le vers héroïque sonnait comme celui des classiques de la grande époque; la rime, riche et sonore, scandait des couplets oratoires dont l'un au moins (le discours du troisième acte) constituait un chef-d'œuvre de poésie et d'histoire. Frédérick Lemaître joua Ruy Blas.

Entrée
à l'Académie française.

Hugo continuait de vouloir avec force l'Académie française et il avait coutume d'obtenir ce qu'il voulait. Il battit Ancelot, auteur dramatique de troisième ordre, le 7 janvier 1841, par dix-sept voix à quinze. Chateaubriand, Lamartine, Villemain, Nodier, Cousin, Mignet avaient voté pour lui, mais aussi les hommes politiques : Thiers, Molé, Salvandy, Royer-Collard, ce qui était, pensa-t-il, une indication, peut-être une invite. Guizot, qui était pour Hugo, arriva en retard et ne put voter. Juliette avait été hostile à cette cinquième candidature.

L'entrée de Hugo fut impériale. Ses cheveux bruns, lisses, bien peignés, dégageaient le front pyramidal et retombaient en rouleaux sur le collet brodé de vert. L'œil noir, un peu enfoncé et petit, brillait d'une joie contenue. Le premier sourire fut pour Juliette qui, en le voyant entrer si pâle et si ému, avait cru s'évanouir.

Le lien de chair était moins solide qu'aux premiers jours, mais Juliette

Caricature représentant
Victor Hugo
après l'échec des *Burgraves*.

Dessin du « Burg à la Croix » par Victor Hugo.

demeurait tout ce qu'Adèle n'avait su, ou voulu, devenir : la voyageuse vaillante, la copiste laborieuse, la bonne louangeuse, la poésie incarnée. C'était à elle qu'allaient encore des hymnes de reconnaissance.

Juliette avait été la compagne de trois voyages au Rhin (1838, 1839 et 1840), longue et fantastique promenade d'antiquaire et de rêveur. Étrange, presque magique, l'attirance, pour Victor Hugo, du grand fleuve chargé de légendes. Enfant, au-dessus de son lit, aux Feuillantines, il avait contemplé, soir après soir, l'image d'une vieille tour en ruine, source, en ses rêveries et ses dessins, de tant de formes délabrées et sombres. S'il connaissait peu la littérature allemande, il avait tout de même lu, comme ses amis Nerval et Gautier, les beaux *Contes* d'Hoffmann. Surtout il croyait voir, dans le problème des relations franco-allemandes, le moyen, pour un écrivain, de se rendre utile et d'accéder aux affaires publiques. Aussi aux légendes, aux tableaux, aux rêveries sur le passé qui devaient composer *Le Rhin,* ajouta-t-il, en 1841, une conclusion politique.

Le poète avait cherché, dans des impressions vives, la solution d'un problème d'histoire; « dans le simple aspect des vieux burgs palatins, il voulait découvrir le secret du passé et pénétrer l'énigme de l'avenir... ». Il avait vu le Rhin terrible, épique, « eschylien ». Les dessins, très beaux, qu'il en rapportait étaient tous éclairés de cette lumière tragique, surnaturelle,

Léopoldine Hugo et Charles Vacquerie au moment de leur mariage.

violente et cauchemardesque, qui émanait bien plus du tempérament hugolien que du paysage rhénan. De plus en plus, il se donnait deux styles, dont l'un, comme disait Sainte-Beuve, ne dépouillait jamais « son fastueux et son pomposo », alors que l'autre *(Choses vues)* restait celui du parfait reporter.

Balzac, point toujours indulgent pour Hugo, jugea *Le Rhin* « un chef-d'œuvre ».

Janvier 1843. Juliette s'inquiétait de trouver « son cher petit homme » très sombre. Pourtant l'année s'annonçait pleine d'espérances. Pour la première fois depuis cinq ans, Hugo allait faire représenter un nouveau drame :

Les Burgraves. *Les Burgraves.* Sa fille Léopoldine était fiancée avec un garçon que la famille aimait beaucoup : Charles Vacquerie. Le mariage était prévu pour février; *Les Burgraves* seraient joués en mars, à la Comédie-Française; l'été suivant, Juliette et Victor feraient un voyage en Espagne. N'était-ce pas un beau programme ?

Le 15 février 1843, le mariage fut béni dans l'intimité, et sans que les amis de Victor Hugo eussent été avertis. Juliette, qui ne pouvait décemment assister à la cérémonie, s'était abstenue de paraître à l'église, mais avait demandé que Didine lui envoyât un petit souvenir. Ce serait un lien entre les deux êtres qui aimaient le mieux Hugo : sa fille et sa maîtresse. Le poète voyait avec tristesse partir sa fille aînée, sa favorite, si précocement grave, si proche de lui. « Ne crains rien pour ta Didine, lui écrivit Juliette, elle sera la plus heureuse des femmes... » Tout, en effet, semble l'annoncer, mais c'est un fait que Hugo souffre et craint on ne sait quoi. Léopoldine va vivre au Havre et, en ce temps-là, deux jours de diligence ou de « coche d'eau » séparaient Le Havre de Paris.

Des lettres arrivèrent, rayonnantes de bonheur.

Les répétitions des *Burgraves* vinrent arracher Hugo à ses bizarres pressentiments. Il comptait beaucoup sur cette pièce; il avait cherché à lui communiquer une grandeur épique. C'était au cours des voyages au Rhin qu'en visitant, de jour et de nuit, les burgs démantelés, envahis par les arbres et les ronces, il avait eu la vision de la lutte titanesque, contre l'empereur, des burgraves, « formidables barons du Rhin, crénelés dans leur trou et servis à genoux par leurs officiers... Hommes de proie tenant tout ensemble de l'aigle et du hibou », et pensé à en tirer un drame. Puis, au thème des *Burgraves,* s'en était mêlé un autre dont jamais Hugo ne s'était délivré : celui des Frères ennemis. La Comédie-Française avait reçu la pièce avec enthousiasme. Mais l'atmosphère était de moins en moins favorable au drame romantique. Depuis quelques saisons, une jeune femme de génie, Rachel, avait remis à la mode la tragédie classique. Le public s'était lassé de « ce qui au monde s'use le plus vite : la nouveauté ».

La première fut calme, la salle étant pleine d'amis. On trouva la pièce, malgré de beaux vers, solennelle et ennuyeuse. A partir de la cinquième, chaque représentation fut orageuse. Hugo conservait en apparence sa sérénité, mais tant de haines, rançons de tant de succès, le bouleversaient. Après la trente-troisième représentation, la pièce fut retirée et Hugo cessa d'écrire pour la scène. Le 7 mars 1843 avait été, selon le mot de Levaillant, « le Waterloo du drame romantique ».

Malgré l'opposition d'Adèle, Juliette Drouet eut, l'été suivant, « son pauvre petit bonheur annuel ». Il prit, cette année-là, forme d'un voyage vers le Sud-Ouest et l'Espagne, qui devait, pour Victor Hugo, évoquer des souvenirs d'enfance et, par là, le guérir de cette tristesse qui, à Paris, depuis février, semblait l'envelopper. Léopoldine, enceinte de trois mois, anxieuse sans raison, avait insisté pour que son père ne s'éloignât pas. Le mardi 9 juillet, il était venu en Normandie pour lui dire au revoir et avait écrit ensuite : « Si tu savais, ma fille, comme je suis enfant quand je songe à toi. Mes yeux sont pleins de larmes; je voudrais ne jamais te quitter... Cette journée passée au Havre est un rayon dans ma pensée; je ne l'oublierai de ma vie... »

Pourtant ce voyage le tentait. Il poussa jusqu'à Pampelune, puis revint par les Pyrénées, Auch, Agen, Périgueux, Angoulême. A l'île d'Oléron, le 8 septembre, Juliette le vit accablé de tristesse. Le lendemain, fuyant l'île,

La tragédie de Villequier.

ils étaient à Rochefort, sur le chemin du retour. Hugo voulait aller au Havre, voir les jeunes Vacquerie. Au village de Soubise, Juliette proposa d'entrer dans un café et d'y prendre une bouteille de bière, en lisant les journaux qu'ils n'avaient pas vus depuis plusieurs jours. *Journal de Juliette Drouet, 9 septembre 1843* : « Sous une table, en face de nous, il y a plusieurs journaux. Toto en prend un, au hasard, et moi je prends *Le Charivari*. J'avais eu à peine le temps d'en regarder le titre que mon pauvre bien-aimé se penche brusquement sur moi et me dit d'une voix étranglée, en me montrant le journal qu'il tient à la main : « Voilà qui est horrible ! » Je lève les yeux sur lui : jamais, tant que je vivrai, je n'oublierai l'expression de désespoir sans nom de sa noble figure. »

Ce que *Le Siècle* racontait était un affreux accident arrivé, le lundi 4 septembre, à Villequier. Léopoldine et son mari avaient quitté Le Havre l'avant-veille,

Le cimetière de Villequier où sont enterrés Charles et Léopoldine.

Manuscrit du poème de Victor Hugo intitulé « A Villequier ».

Mme Biard,
née Léonie d'Aunet.

pour passer la fin de la semaine à Villequier. Ils y avaient retrouvé l'oncle
Pierre Vacquerie, ancien capitaine de navire, et le fils de celui-ci, Arthus, petit
garçon de onze ans. « Le dimanche après-midi arriva à quai un canot de
course que Charles faisait remonter du Havre. C'était une fantaisie de son
oncle. Il l'avait fait construire dans un chantier naval, sur des plans qu'il
avait conçus. Charles avait gagné avec ce bateau un premier prix, aux régates
d'Honfleur... Il se proposait de l'essayer, le lendemain matin, pour aller
à Caudebec, chez maître Bazire, son notaire, qui l'attendait... » La matinée

du lundi fut belle. Pas un souffle d'air; pas une ride sur l'eau; brume matinale. Il avait été convenu la veille que Léopoldine accompagnerait son mari, son oncle et son cousin. « Choses, éléments, tout avait trahi ses promesses. Entre le bonheur et le malheur, la partie avait été jouée et perdue. Seul des passagers, Charles Vacquerie, excellent nageur, se débattait autour de la coque renversée pour essayer de sauver sa femme. Elle se cramponnait au canot. Il s'exténuait en vain. Alors, très simplement, lui qui ne l'avait jamais quittée se laissa couler pour l'accompagner cette fois encore... »

Victor Hugo avait été dévasté par la mort de sa fille; en décembre, il n'était pas encore sorti de son abattement.

La sensualité est un état violent. Dans un extrême désarroi de l'esprit, il est naturel qu'un homme cherche l'oubli dans la variété et la violence des sensations. Victor Hugo, en 1843, mortellement triste, devait demander refuge à quelque passion. Juliette ? Non, Juliette ne lui suffisait plus. Cloîtrée depuis dix ans, la pauvre fille s'était fanée. Dès la trentaine, ses cheveux avaient grisonné; elle gardait ses beaux yeux, son air sublime et tendre; elle n'était plus « cette beauté qu'on ne saurait peindre ». Parfois elle l'ennuyait. Malgré son charmant esprit, qu'avait-elle à dire ? Hors son mois de voyage annuel, elle ne voyait rien ni personne. Ses innombrables lettres n'étaient que de longues litanies, mélanges d'éloges et de plaintes.

Au début de 1844, la sultane régnante fut, à l'insu de Juliette, une jeune blonde aux yeux noyés, souvent baissés, avec un air « de craintive colombe » que démentait, par éclairs, un sourire malicieux. Elle se nommait Léonie d'Aunet, de noblesse petite mais authentique, avait été élevée en jeune fille du monde, puis s'était enfuie, à dix-huit ans, pour aller vivre avec un peintre, François-Thérèse-Auguste Biard, dans l'atelier qu'il avait place Vendôme.

Léonie d'Aunet.

En 1840, sa compagne étant enceinte de six mois, le peintre l'avait épousée. Le couple avait acheté au bord de la Seine, près de Samois, « une maison, un jardin, un parc, une pièce d'eau et un bateau » et recevait beaucoup d'artistes.

En 1844, Hugo, accablé par la tragédie de Villequier, dut faire effort pour s'arracher à la douleur. Il voulut s'étourdir de travail, de vie officielle (on le voit assidu à l'Académie et à la cour) et sans doute aussi de nouvelles amours. Il y a quelque chose de pénible à voir les mêmes sentiments, les mêmes mots reprendre ici du service sous d'autres lois. C'est qu'un homme ne peut changer entièrement, que le rôle de la Bien-Aimée est toujours le même et qu'il se borne à le distribuer à une comédienne plus jeune, mieux faite pour cet emploi.

En 1845, les ennemis de Hugo avaient l'impression qu'il n'écrivait guère. En quoi ils se trompaient. Il composait de beaux poèmes sur sa fille et des madrigaux pour Léonie. Il travaillait au roman des *Misères*. Mais l'apparente frivolité de sa vie leur donnait de méchants espoirs. A l'Académie, il se montrait assidu, grave, l'œil noyé d'ombre, le menton solennel et fort, parfois rebelle mais avec dignité.

Pair de France.   Les ambitieux sont malheureux; rien ne saurait les satisfaire. Victor Hugo, depuis qu'il avait un habit vert, ne pensait plus qu'à l'habit doré des pairs du royaume. Juliette ne voulait pas, pour lui, d'une carrière politique : « Devenir académicien, pair de France, ministre, qu'est-ce que cela pour celui que le bon Dieu a fait Toto ?... » Mme Biard, au contraire, stimulait et appuyait cette ambition. Hugo était assidu auprès du roi. Cependant il manœuvrait. Démarches de la duchesse d'Orléans auprès de son auguste beau-père. Beaux discours à l'Académie française. « Toute sa grosse artillerie », comme disait Sainte-Beuve. Cette tactique emporta la victoire. Une ordonnance du 13 avril 1845 éleva à la pairie : *le vicomte Hugo (Victor-Marie).*

Le 5 juillet, à la requête d'Auguste Biard, le commissaire de police du quartier

Caricature évoquant le discours que Victor Hugo prononça à l'Assemblée le 11 novembre 1848.

Vendôme se fit ouvrir, au nom de la loi et au lever du jour, un discret appartement du passage Saint-Roch et y surprit « en conversation criminelle » Victor Hugo et sa maîtresse. L'adultère était alors sévèrement réprimé; le mari se montra impitoyable. Léonie d'Aunet, « femme Biard », fut arrêtée et envoyée à la prison Saint-Lazare. Victor Hugo invoqua l'inviolabilité des pairs et le commissaire, après hésitation, le laissa partir. L'affaire du passage Saint-Roch ne fit pas à sa carrière un mal durable.

Victor Hugo avait appliqué, après l'esclandre, la politique du silence. Non qu'il ne travaillât pas. Il avait repris un vieux projet, le roman des *Misères,* pour lequel il avait un traité avec Renduel et Gosselin. Le roman, social à la manière de ceux d'Eugène Sue, devait être en quatre parties : histoire d'un saint, histoire d'un forçat, histoire d'une femme, histoire d'une poupée.

Juliette avait recueilli, sans le savoir, les bénéfices de l'incarcération, puis de la retraite forcée de Léonie Biard, et joui plus qu'à l'ordinaire de la présence de son amant et maître. En 1846, elle se trouva étroitement rapprochée de lui par un deuil aussi affreux que celui de Villequier. Sa fille, Claire Pradier, avait été officieusement adoptée par Hugo, qui avait payé la pension de cette enfant, lui avait donné des leçons, l'avait comblée de présents et s'était sincèrement attaché à elle. Elle était devenue une touchante et triste jeune fille, amenée, par un désespoir intime, à souhaiter la mort. Lorsque Claire Pradier fut enterrée au cimetière de Saint-Mandé, le vicomte Victor Hugo, pair de France, conduisit le deuil avec le père.

A la Chambre des pairs, où le vicomte Hugo avait senti, en juillet 1845, après l'affaire Biard, souffler un vent de glaciale froideur, il fit ses débuts à la tribune avec prudence. Quand on passe pour inquiétant, il est adroit d'être terne. La gloire et la mort le poussaient au premier rang. Qui, dans les lettres, aurait pu le surclasser ? Il avait écrit en dix ans, des *Feuilles d'Automne* aux *Rayons et les Ombres,* les quatre plus beaux recueils de vers français; *Les Misérables* promettaient d'égaler *Notre-Dame de Paris ;* il gardait une chance d'être ministre. Et pourtant il n'était pas heureux. Désemparé, il cherchait à s'oublier. « Recours à l'abîme. » Débutantes, aventurières, chambrières, courtisanes; en ces années 1847-1850, il semble atteint d'une sombre fringale de chair fraîche.

Le 23 février 1848, allant à la Chambre pour savoir les nouvelles, Hugo vit les rues pleines de soldats et d'hommes en blouse qui criaient : « Vive la ligne ! A bas Guizot ! » Les soldats causaient et plaisantaient. Il trouva dans la salle des Pas-Perdus des groupes affairés et inquiets.

Puis, comme il était courageux, amateur de choses vues et ne croyait que ses yeux, il alla se mêler à la foule, place de la Concorde. La troupe tirait; il y avait des blessés. Le 25 février, Lamartine lui annonça que le gouvernement provisoire avait nommé Victor Hugo maire de son arrondissement et que si, au lieu d'une mairie, il voulait un ministère...

VICTOR HUGO

A SES CONCITOYENS.

Mes Concitoyens,

Je réponds à l'appel des soixante mille Electeurs qui m'ont spontanément honoré de leurs suffrages aux élections de la Seine. Je me présente à votre libre choix.

Dans la situation politique telle qu'elle est, on me demande toute ma pensée. La voici :

Deux Républiques sont possibles.

L'une abattra le drapeau tricolore sous le drapeau rouge, fera des gros sous avec la colonne, jettera bas la statue de Napoléon et dressera la statue de Marat, détruira l'Institut, l'Ecole polytechnique et la Légion-d'Honneur, ajoutera à l'auguste devise : *Liberté, Égalité, Fraternité,* l'option sinistre : *ou la Mort;* fera banqueroute, ruinera les riches sans enrichir les pauvres, anéantira le crédit, qui est la fortune de tous, et le travail, qui est le pain de chacun, abolira la propriété et la famille, promènera des têtes sur des piques, remplira les prisons par le soupçon et les videra par le massacre, mettra l'Europe en feu et la civilisation en cendre, fera de la France la patrie des ténèbres, égorgera la liberté, étouffera les arts, décapitera la pensée, niera Dieu; remettra en mouvement ces deux machines fatales qui ne vont pas l'une sans l'autre, la planche aux assignats et la bascule de la guillotine; en un mot, fera froidement ce que les hommes de 93 ont fait ardemment, et, après l'horrible dans le grand que nos pères ont vu, nous montrera le monstrueux dans le petit.

L'autre sera la sainte communion de tous les Français dès à présent, et de tous les peuples un jour, dans le principe démocratique; fondera une liberté sans usurpations et sans violences, une égalité qui admettra la croissance naturelle de chacun, une fraternité, non de moines dans un couvent, mais d'hommes libres; donnera à tous l'enseignement comme le soleil donne la lumière, gratuitement; introduira la clémence dans la loi pénale et la conciliation dans la loi civile; multipliera les chemins de fer, reboisera une partie du territoire, en défrichera une autre, décuplera la valeur du sol; partira de ce principe qu'il faut que tout homme commence par le travail et finisse par la propriété, assurera en conséquence la propriété comme la représentation du travail accompli et le travail comme l'élément de la propriété future; respectera l'héritage, qui n'est autre chose que la main du père tendue aux enfants à travers le mur du tombeau; combinera pacifiquement, pour résoudre le glorieux problème du bien-être universel, les accroissements continus de l'industrie, de la science, de l'art et de la pensée; poursuivra, sans quitter terre pourtant, et sans sortir du possible et du vrai, la réalisation sereine de tous les grands rêves des sages; bâtira le pouvoir sur la même base que la liberté, c'est-à-dire sur le droit; subordonnera la force à l'intelligence; dissoudra l'émeute et la guerre, ces deux formes de la barbarie; fera de l'ordre la loi des citoyens, et de la paix la loi des nations; vivra et rayonnera, grandira la France, conquerra le monde, sera en un mot, le majestueux embrassement du genre humain sous le regard de Dieu satisfait.

De ces deux Républiques, celle-ci s'appelle la civilisation, celle-là s'appelle la terreur. Je suis prêt à dévouer ma vie pour établir l'une et empêcher l'autre.

VICTOR HUGO.

IMPRIMERIE DE JULES-JUTEAU ET Cⁱᵉ, RUE ST-DENIS, 345.

◀ Affiche de Victor Hugo candidat aux élections complémentaires du 4 juin 1848.

Louis-Napoléon sur les barricades, après le coup d'État du 2 décembre 1851, et la répression.

Aux élections d'avril, sans faire acte de candidature, Hugo fit afficher une *Lettre aux Électeurs,* où la dignité s'alliait décemment aux ambitions.

Il ne fut pas élu, mais réunit sur son nom, le 23 avril, soixante mille voix, ce qui, après un tel manifeste, faisait honneur aux électeurs parisiens. Ce demi-succès lui permit d'obtenir, aux élections complémentaires, l'appui du comité de la rue de Poitiers, c'est-à-dire des conservateurs.

Victor Hugo fut élu. Par quel parti ? Il savait seulement qu'il était « pour les petits contre les grands », et pour l'ordre contre l'anarchie. Sans doute sentait-il lui-même la faiblesse de sa position, car, en juillet 1848, il avait voulu se donner un autre moyen d'agir sur l'opinion publique en créant un journal : *L'Événement.* Il souhaitait en faire, là encore, « l'organe de la pensée ». Le premier éditorial opposait les idées, qui sont tout, aux faits, qui ne sont rien. C'était oublier que ces riens s'imposent aux penseurs avec une singulière obstination. Chaque numéro portait en épigraphe cette phrase : « Haine vigoureuse de l'anarchie, tendre et profond amour du peuple. »

Aux élections complémentaires de juin 1848, en même temps que Victor Hugo, était entré à l'Assemblée le prince Louis-Napoléon Bonaparte. Ce fils d'Hortense de Beauharnais et (peut-être) d'un amiral hollandais n'avait pas une goutte de sang Bonaparte, mais il portait le nom magique, et la foule sur les boulevards, chantait : « Po-lé-on, nous l'aurons. »

Hugo le trouva triste et laid, un air de somnambule, mais distingué, sérieux, doux, de bonne compagnie et prudent.

L'Événement, après *La Presse,* s'attela au char du prince. Jusqu'à la rencontre d'octobre, le journal de la famille Hugo avait été froid; on reconnaissait le prestige du nom; on soulignait que ce prestige appartenait à l'oncle, non au neveu. Le 28 octobre, l'attitude de *L'Événement* changea soudain et un grand article remit au prince les destinées de la France et la gloire de l'Empereur.

Hugo demeurait, malgré l'investiture de la rue de Poitiers, l'homme des *Misérables.* Ne croyant jamais que ses yeux, il était allé voir au faubourg Saint-Antoine, et aussi dans les taudis de Lille, ce qu'était la misère. Il choisit non seulement de le dire, mais de dénoncer les propos cruels qu'il venait d'entendre. Ce fut un beau tollé. Quoi ? Un membre du parti de l'ordre osait affirmer : « Je suis de ceux qui pensent qu'on peut détruire la misère » !

La rupture avec les burgraves était consommée; la rupture avec l'Élysée ne tarda pas. Louis-Napoléon avait un goût trop vif de la duplicité pour approuver la politique des pieds dans le plat. Il avait souhaité, au dernier moment, « prendre une attitude modératrice »; Victor Hugo, par sa violence, dérangea ses plans. L'un avait des ambitions, l'autre des convictions. Certains disent que de dures paroles furent échangées entre poète et président.

Les deux années 1850 et 1851 furent, pour Victor Hugo, un temps de batailles politiques et de déchirements sentimentaux. En politique, depuis sa rupture avec l'Élysée, il était en porte-à-faux. Acclamé par la gauche parce qu'il soutenait avec éclat, en de beaux discours, les libertés, mais jamais

Le prince Louis-Napoléon en 1848.

accueilli par elle comme un des siens; hué par la droite, qui affectait de le mépriser comme un transfuge et le soumettait à d'incroyables traitements : injures et calomnies; il apprenait à ses dépens, comme avait fait Lamartine, que la popularité est ce qu'il y a au monde de plus fragile.

Il eût été plus fort dans la vie publique si sa vie privée avait été moins chaotique et moins critiquable. Le devoir, la reconnaissance, l'amour, le désir le rendaient esclave de liaisons anciennes et de passantes avides. Trois femmes, presque trois épouses, Adèle, Juliette et Léonie, vivaient près de lui sur les pentes de Montmartre, où il s'était installé, 37, rue de La Tour-d'Auvergne en octobre 1848, dans un cercle étroit; il devait donner à chacune une part de son temps et courait de l'une à l'autre, toujours exposé à rencontrer, Juliette à son bras, Adèle ou Léonie, qui avaient, en quelque sorte, partie liée contre la meilleure des trois.

Juliette, qui suivait toujours, dans l'ombre, les déménagements de son seigneur, cachait, selon l'expression de Louis Guimbaud, « son humble personne et son grand amour » au fond de la cité Rodier, impasse lugubre où elle vivait « dans l'uniformité de l'absence et de l'ennui ». Seul bonheur : accompagner parfois son amant à l'Assemblée, à l'Académie, écouter ses discours, attendre ses rares visites et, chaque matin, venir voir de loin les deux fenêtres du bien-aimé qui (en 1845) l'avait enfin autorisée à sortir seule, à pied. Elle ignorait encore le rôle joué par Léonie d'Aunet dans la vie de Victor Hugo et se méfiait d'autres femmes, en quoi elle ne se trompait guère, car il savait moins que jamais résister à ce qui s'offrait.

L'ex-Mme Biard commença de penser qu'elle avait gâché sa vie pour Victor Hugo, qu'elle méritait qu'il lui donnât une part plus importante de la sienne, et qu'au moins il avait le devoir de lui sacrifier Juliette. Elle avait souvent tenté d'obtenir ce sacrifice de son amant lui-même; elle s'était heurtée à un refus cassant. Une première fois, en 1849, elle avait menacé Hugo de tout révéler à Juliette; il l'avait rabrouée.

Deux ans plus tard, le vent d'humeur avait tourné et, au lieu d'abdiquer, Léonie d'Aunet avait frappé. Le 29 juin 1851 arriva cité Rodier, nº 20, un paquet de lettres noué de rubans et scellé aux armes de Victor Hugo, ce blason qu'il avait dessiné lui-même avec la devise : *Ego Hugo*. C'était l'écriture de l'homme que Juliette adorait et vénérait. Elle ouvrit anxieusement, lut avidement et apprit avec horreur que, depuis 1844, son amant aimait une autre femme et lui écrivait des lettres passionnées, aussi belles que celles qui, pendant dix-huit ans, avaient été son seul bonheur, et son seul honneur. Juliette sortit de chez elle en larmes et, dans un état voisin de la folie, erra toute la journée dans Paris. Hugo ne nia rien, supplia Juliette de lui pardonner et offrit de lui sacrifier sa rivale. Mais cela tout en louant les mérites de celle-ci, sa beauté, sa culture; tout en laissant deviner la sympathie et l'affection que portaient, à Mme d'Aunet, la femme et les fils du poète; traits qui aggravaient encore, pour Juliette, l'amertume de la situation. Elle était trop fière pour accepter un amour qui serait un sacrifice.

Enchères et surenchères de générosité. Quand Juliette, après de tristes méditations, parla de rompre, Hugo, comme tous les hommes en pareil cas, fit appel à sa pitié. Puis, comme le poète et sa maîtresse demeuraient des romantiques; comme il avait proclamé les droits de la passion; comme il excellait à transmuer ses plaisirs en effusions mystiques, et comme il pouvait être, dès qu'il le voulait, « gai, facile, aimable et ravissant », Juliette, de nouveau envoûtée, admit que tous trois subiraient un « temps d'épreuves », après

lequel Hugo devrait choisir. Pour Victor Hugo, les épreuves, qui consistaient
« à faire passer deux femmes sur le pont suspendu de l'amour, afin d'en
éprouver la solidité », étaient une douce pénitence. Le matin, il travaillait
chez lui tandis que Juliette, chez elle, copiait Jean Valjean, puis elle le rejoignait
sous le porche de Notre-Dame de Lorette et l'accompagnait dans ses démarches
de l'après-midi. Le dîner appartenait à la famille; la soirée à Léonie, dont
il parlait, le lendemain, à Juliette, avec une vivacité et un enthousiasme blessants.
Mais, quand une épreuve doit durer quatre mois, le Destin se charge, bien
avant le jour de la décision, d'imposer celle-ci par des moyens obliques et
imprévisibles.

Hugo traversait alors, dans la vie d'action, une période plus que difficile.
A partir de février 1851, il avait pris position, non plus seulement contre le
gouvernement, mais contre la personne de Louis-Napoléon.

Autour du président, les chefs de la bande souhaitaient le coup de force.
Louis-Napoléon n'y était pas hostile, mais ne voulait pas prendre ce risque
avant d'avoir mis toutes les chances de son côté. Déjà la Justice, injuste,
poursuivait les rédacteurs de *L'Événement*. Neuf mois de prison à François-
Victor Hugo, autant à Paul Meurice, six mois à Auguste Vacquerie (Charles
Hugo était déjà en prison). Puis *L'Événement,* interdit, reparut sous le titre :
L'Avènement du Peuple. Victor Hugo, chaque jour, rejoignit à la Conciergerie
ses deux fils et ses deux amis. Il buvait avec eux le gros rouge de la cantine.
Bientôt, sans doute, allait venir son tour.

Dans sa vie privée aussi, il avait besoin de trancher. L'épreuve sentimentale
tournait au profit de Juliette.

La Conciergerie
à l'époque où
les fils de Victor Hugo
y furent incarcérés.

La journée du 3 décembre 1851 fut une journée de barricades. Baudin se fit tuer, après le mot célèbre : « Vous allez voir comment on meurt pour vingt-cinq francs. » Place de la Bastille, Hugo haranguait frénétiquement un groupe d'officiers et d'agents de police quand Juliette, qui, tout au long de ces journées, le suivait partout, étreignit son bras et lui dit : « Vous allez vous faire fusiller. »

Le 4 décembre, jour décisif, fut celui du massacre. Une résistance libérale et bourgeoise s'était organisée; elle fut réprimée avec cruauté. Il y eut, à Paris, au moins quatre cents tués. Dans ce désordre sanglant, Juliette continuait de suivre Hugo à la trace. Il y a quelque chose de pathétique et de sublime dans cette femme, encore belle mais usée, à cheveux gris, qui file à distance son homme pour se jeter, si besoin en est, entre une balle et lui. S'aventurant dans le carnage, elle le perdait, le retrouvait. « Mme Drouet a tout donné et tout sacrifié pour moi, écrit Victor Hugo, c'est à son dévouement admirable que j'ai dû la vie dans les journées de décembre 1851... »

Cependant il fallait sortir du pays. Le jeudi 11 décembre, Victor Hugo quitta Paris par la gare du Nord, sous le nom de « Lanvin (Jacques-Firmin), compositeur d'imprimerie à livres, demeurant à Paris, rue des Jeûneurs, n° 4, âgé de 48 ans. Taille : 1,70 m. Cheveux : grisonnants. Sourcils : châtains. Yeux : châtains. Barbe : grisonnante. Menton : rond. Visage : ovale ». Le voyageur portait une casquette d'ouvrier et une houppelande noire. Était-il méconnaissable ? Ou ne voulut-on pas le reconnaître ? Qui le sait ? Qu'on ait voulu l'arrêter pendant les émeutes est certain. La jeune Adèle, dans une lettre à son père, parle de « l'affreuse nuit où l'on est venu pour te prendre ». Mais sa fuite était moins dangereuse pour le régime que l'obligation de le persécuter. Juliette, seule à Bruxelles avec le proscrit, était sortie victorieuse de l'épreuve du feu.

L'Exil. L'exil fut dans cette vie un choc, et le salut. Victor Hugo, pair de France brodé et surbrodé, familier d'un vieux roi sceptique, proie de faciles admiratrices, avait risqué de s'enliser. L'événement, soudain, lui donnait sa chance.

Pour que le rôle fût parfaitement beau, une altière pauvreté convenait au banni. Quand « Firmin Lanvin » descendit du train, à Bruxelles, le 12 décembre 1851, Laure Luthereau, amie de Juliette, avertie par celle-ci, le conduisit dans de pauvres hôtels : l'hôtel du Limbourg, puis l'hôtel de la Porte-Verte, 31, rue de la Violette. Le 14 décembre, Juliette arriva; Victor Hugo l'attendait sous le hangar de la douane; elle apportait les manuscrits. Il y avait une étiquette de l'exil; un grand proscrit ne pouvait décemment habiter avec une maîtresse, et la pauvre Juliette dut aller vivre sans lui, passage du Prince, chez ses amis Luthereau, à la fois blessée et résignée. Dès les premiers jours, Juliette eut « de la copie ». Une sainte colère, une « fureur de témoignage » animaient Victor Hugo et cherchaient expression. Il était résolu à « faire vibrer la corde d'airain », à devenir la conscience farouche de la France,

La maison sur la Grand-Place, à Bruxelles, où habita le poète en 1852. ▶

« l'homme-devoir ». Avant tout, il fallait composer un récit du 2 décembre (appelé plus tard *Histoire d'un Crime*). Il le commença dès le lendemain de son arrivée.

A Paris, Adèle se conduisait en digne femme de proscrit. Elle était plus fière du rôle politique de son mari qu'elle ne l'avait été de sa gloire littéraire. Naturellement, Adèle était irritée de savoir Juliette à Bruxelles, tandis qu'elle continuait à patronner la suave Léonie d'Aunet.

A Bruxelles, Victor Hugo travaillait avec cette ardeur et ce bonheur que donnent de fortes passions. Il décida d'écrire et de publier rapidement un court pamphlet : *Napoléon le Petit*. Ce fut une improvisation frémissante, un réquisitoire dans la grande tradition latine : le mouvement de Cicéron, la vigueur de Tacite, la poésie de Juvénal. Cette prose de poète, discontinue, rythmée, participait de la folie dominée qui fait la beauté de la poésie. Le ton était tantôt l'invective des prophètes, tantôt le terrible humour de Swift.

Il devenait évident que, *Napoléon le Petit* publié, il y aurait danger pour Hugo à laisser en France sa famille et ses biens. Le gouvernement annonçait

Marine Terrace, la première maison habitée par Victor Hugo pendant son exil à Jersey.

La serre de *Marine Terrace.*

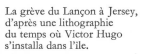

La grève du Lançon à Jersey,
d'après une lithographie
du temps où Victor Hugo
s'installa dans l'île.

une loi contre les délits de presse commis, à l'étranger, par des Français, avec amendes et confiscations. D'où la résolution de faire venir tout son monde, soit à Bruxelles, si les Belges acceptaient encore de l'abriter après cet éclat, soit à Jersey. Le conseil de l'épouse fut de céder le bail, rue de La Tour-d'Auvergne, et de faire vendre aux enchères le « magnifique mobilier gothique », tout le bric-à-brac (qu'elle avait en horreur) et la bibliothèque.

La vente à la criée du mobilier familial aurait pu être douloureuse, mais, pour Hugo, le bonheur du sacrifice public sanctifiait l'opération. Car la décision était prise. Le 25 juillet, Hugo pressait sa femme de se rendre directement à Saint-Hélier (Jersey). Lui-même, devançant la loi Faider, qui l'eût expulsé, et ne voulant pas faire porter par la Belgique le poids dangereux de *Napoléon le Petit,* partit le 1er août avec Charles.

Août 1852. Par un été brûlant, trois voyageurs : Mme Victor Hugo, sa fille Adèle et son chevalier servant, Auguste Vacquerie, débarquèrent à Jersey. Ils avaient passé par Southampton et détesté leur premier rosbif. Ils pensèrent que Saint-Hélier, calciné, ressemblait furieusement à Sainte-Hélène. Deux jours plus tard, Hugo et Charles les rejoignirent à l'hôtel de la Pomme-d'Or. Les proscrits, assez nombreux, mais de moindre qualité que ceux de Bruxelles, allèrent recevoir le poète sur le port et l'acclamèrent, mêlés aux habitants de la ville.

Hugo tenait à être au bord de la mer et loua une maison très isolée, *Marine Terrace,* jolie petite villa avec terrasse, jardin et potager. Juliette, arrivée par un autre paquebot (les convenances et Adèle l'exigeant), vécut d'abord à l'auberge, puis trouva un petit appartement.

Tout ce petit univers, ces deux ménages, dépendait, pour vivre, d'une plume et d'un cerveau. Il fallait publier, mais quoi ? Mieux valait s'en tenir, en ces jours de colère, à la veine qui lui avait inspiré *Napoléon le Petit.* Le livre entrait en France par cahiers, imprimés sur papier pelure caché dans des doublures, parfois dans des bustes creux de Napoléon III, et suscitait un grand enthousiasme.

Les Châtiments. Quel nom donner à un recueil de poèmes contre le crime ? Hugo hésita; *Le Chant du Vengeur, Les Vengeresses, Rimes vengeresses, Châtiments* (sans l'article), puis enfin *Les Châtiments.* Le livre était d'une prodigieuse variété de ton; un sentiment fort, l'indignation, lui fournissait son unité. Sans doute on pouvait, à son propos, évoquer *Les Tragiques* d'Aubigné, la *Satire Ménippée,* Tacite et surtout Juvénal, mais, par la force des coups, la nouveauté des rythmes, la beauté du langage, la puissance de l'ironie, par le ton épique surtout, Hugo l'emportait. Tel était le livre qui, feuillet à feuillet de la belle écriture empâtée, se faisait au cours de l'hiver 1852-1853.

Entre 1853 et 1856, il écrivit, dans une exaltation croissante, non seulement les poèmes religieux des *Contemplations,* mais une grande partie des deux immenses poèmes théologiques : *La Fin de Satan* et *Dieu.* Religions, abîmes, empires, espace et temps, il y survolait tout avec une largeur de vision égalée seulement par Dante et Milton. Dans *La Fin de Satan,* il peignait la chute de l'archange dans la nuit et mettait en vers admirables la passion du Christ. Quant au poème appelé *Dieu,* c'était une chevauchée de l'esprit à travers les étoiles, les siècles et les religions.

La condition du réfugié politique est difficile. Il est toléré, non adopté. Si la politique du pays refuge exige quelque rapprochement avec le pays d'origine, le proscrit se voit sacrifié. Les autorités de Jersey n'avaient jamais beaucoup aimé ce petit groupe de Français bavards, ce poète qui allait de sa femme à sa maîtresse. A la Chambre des communes, Sir Robert Peel avait,

Illustration de l'édition des *Châtiments,* de J. Hetzel, publiée en 1872, dix-neuf ans après la première édition.

dès 1854, blâmé Hugo sans respect aucun. En 1855, le conflit devint aigu. L'empereur des Français et la reine d'Angleterre, alliés contre la Russie, devenaient bons amis.

Les Hugo durent quitter Jersey pour Guernesey. On partit en plusieurs groupes : Hugo d'abord, le 31 octobre, avec François-Victor et Juliette Drouet, qu'accompagnait sa femme de chambre Suzanne, servante au grand cœur. Deux jours plus tard Charles Hugo rejoignit son père. Les deux Adèle

Victor Hugo sur le Rocher des Proscrits à Jersey.

Dessin de Georges-Victor Hugo représentant une vue de Guernesey.

et Auguste Vacquerie (que n'atteignait aucune mesure d'expulsion et qui avaient tout un déménagement à organiser) arrivèrent plus tard, avec trente-cinq colis. Une lourde malle fut, un instant, balancée au-dessus des vagues par gros temps, avant d'être lancée dans un canot ; elle contenait en manuscrits : *Les Contemplations, Les Misérables, La Fin de Satan, Dieu, Les Chansons des Rues et des Bois.* Jamais tant d'œuvres immortelles ne furent en plus pressant danger de mort.

L'île de Guernesey était plus petite que Jersey et plus escarpée. « Un rocher perdu dans la mer. » Victor Hugo avait alors peu de ressources. Point de droits d'auteur : *Napoléon le Petit* et *Les Châtiments*, livres de combat, avaient été vendus sous le manteau, au seul bénéfice des colporteurs. Hugo,

tout de suite, s'était remis au travail. Un écrivain est comblé dès qu'il a une table et du papier blanc. Pour les autres, auxquels il prêchait un redoublement d'économie, c'était plus dur.

Les Contemplations.

Alors intervint le miracle des *Contemplations.* Il avait dans ses tiroirs — ou dans ses malles — près de onze mille vers; les uns d'autrefois, ceux des bonheurs évanouis; les autres d'aujourd'hui, ceux du souvenir et de la méditation. Hetzel, « cher co-proscrit », souhaitait se charger de l'édition. Hugo voulait frapper un grand coup, publier le tout en deux volumes et assener une volée de chefs-d'œuvre à ses ennemis.

Le succès des *Contemplations,* inattendu, car on ne savait quel accueil la France du Second Empire ferait au poète absent et rebelle, fut prodigieux, et la première édition épuisée aussitôt que parue.

Tous ceux qui aimaient la poésie trouvaient là quelques-uns des plus beaux vers de la langue française. Hugo avait voulu construire ce recueil de poèmes épars. Avec un souci très juste de symétrie, il l'avait divisé en deux parties : 1831-1843 et 1843-1856. *Autrefois* et *Aujourd'hui.* La mort de sa fille marquait la frontière et le livre devait passer d'un *Autrefois* tendre et bleu à un *Aujourd'hui* lugubre et noir.

Le succès matériel fut aussi grand que le succès littéraire. Avec les vingt mille francs de droits qu'envoya bientôt Hetzel, Victor Hugo acheta, le 10 mai, une maison : *Hauteville House,* entièrement payée par *Les Contemplations.* Il tenait à devenir propriétaire à Guernesey. Il paierait alors droit de « poulade » à la Couronne et ne pourrait plus être expulsé.

Pour Mme Hugo et surtout pour sa fille, cet « enracinement » fut un grand sujet de tristesse. C'était l'exil consacré.

◀ Hugo et Auguste Vacquerie à Guernesey.

Hauteville House, maison achetée par Victor Hugo à Guernesey.

Dîner offert par les Hugo aux enfants pauvres de l'île.
De gauche à droite : Paul Chenay, beau-frère de l'écrivain;
Hennet de Kesler; Victor Hugo; Mme Victor Hugo.

Hugo se levait à l'aube, réveillé par le canon du fort voisin; travaillait jusqu'à onze heures, brûlé par le soleil; se mettait nu, s'inondait d'eau glacée, puis se frottait au gant de crin. Les passants, qui connaissaient les étranges mœurs du grand homme, guettaient cette apparition. A midi, l'on déjeunait. Charles et son père discutaient; Mme Victor Hugo admirait le génie de « ses hommes ». Puis chacun allait de son côté.

Les *mille passus* demeuraient réservés à Juliette. On lui avait trouvé une charmante petite villa, *La Fallue,* si proche de *Hauteville House* qu'elle pouvait voir son demi-dieu faire sa toilette sur la terrasse. Chaque matin, elle guettait le petit lever pour repaître ses regards de ce corps tant aimé. Après le déjeuner, Hugo venait chercher Juliette. Le plus souvent, elle recevait l'ordre de marcher à côté de lui en silence, ce dont elle se plaignait.

Le succès des *Contemplations* réveilla bien des amitiés parisiennes. Les louanges affluèrent à Guernesey. Michelet, Dumas, Louise Colet, le père Enfantin, George Sand dirent leur enchantement.

Charles et François-Victor photographiés avec Victor Hugo à Jersey en 1860.

La galerie de chêne au premier étage de *Hauteville House*.

Mon père, ce héros au sourire si doux,
suivi d'un seul housard qu'il aimait entre tous
pour sa grande bravoure et pour sa haute taille,
parcourait à cheval, le soir d'une bataille,
le champ couvert de morts sur qui tombait la nuit.
Il lui sembla dans l'ombre entendre un faible bruit.
C'était un espagnol de l'armée en déroute
qui se traînait sanglant sur le bord de la route,
râlant, brisé, livide, et mort plus qu'à moitié,
et qui disait : à boire ! à boire par pitié !
Mon père, ému, tendit à son housard fidèle
une gourde de rhum qui pendait à sa selle,
en dit : tiens, donne à boire à ce pauvre blessé.
Tout à coup, au moment où le housard baissé
se penchait vers lui, l'homme, une espèce de maure,
saisit un pistolet qu'il étreignait encore,
et visa au front mon père en criant : caramba !
le coup passa si près que le chapeau tomba,
et que le cheval fit un écart en arrière.
— Donne lui tout de même à boire, dit mon père.

Hetzel, après *Les Contemplations,* avait supplié Hugo de réserver encore les poèmes philosophiques : *Dieu* et *La Fin de Satan.* En revanche, Hetzel aimait l'idée des *Petites Epopées,* fresques historiques allant du XIIIᵉ au XIXᵉ siècle. Que le talent de Hugo fût épique, par le mouvement irrésistible, la démesure et le sublime, était évident.

La première *Légende des Siècles* fut entièrement écrite entre 1857 et 1859. Aussi est-elle d'une grande unité d'inspiration. Elle se développe tout au long de l'histoire, mais l'imagination de Hugo est si vaste qu'il voit d'un seul regard « le mur des siècles ».

La Légende des Siècles.

◀ Page manuscrite d'*Après la Bataille,* un des poèmes de *La Légende des Siècles.*

Page d'un exemplaire de *La Légende des Siècles* ornée d'un dessin de la main de Victor Hugo et d'une dédicace à Paul Meurice.

Le général Hugo, héros d'*Après la Bataille,* peint par Mélingue.

93

Mme Victor Hugo à soixante ans.

Victor Hugo en 1861.

La Légende des Siècles était pleine de telles beautés qu'elle devait achever de convaincre les lettrés les plus hostiles de la grandeur unique du poète. « Victor Hugo seul a parlé; le reste des hommes balbutie », dit Jules Renard.

En 1859, l'empire offre une amnistie. Des proscrits l'acceptent. Hugo refuse. Cette grande voix clamant dans le désert sauve, en France, le respect de la liberté et aussi, en un temps où la littérature du Second Empire devient frivole et mondaine, l'amour des grandes idées et des grandes images. Les Français le savent et c'est alors que Victor Hugo, pour eux, prend sa place dans la légende des siècles.

Absorbé, pendant la décennie 1860-1870, par des œuvres immenses : poèmes, épopées, romans, essais, et *Les Misérables,* qui sont à la fois tout cela, il trouve dans le travail un étrange bonheur de plénitude, de force et d'isolement.

Les Misérables.

Mais il ne voit pas qu'à côté de lui, qui s'épanouit, les siens étouffent. Mme Hugo, de plus en plus, s'éloigne de Guernesey. Parce qu'elle n'est pas heureuse, elle a besoin de divertissements et aime, en France ou en Angleterre, à représenter, par procuration, la gloire de son époux. Sa fille, Adèle, maniaque, boudait, broyait du noir, tombait en rêverie. Seule la musique l'arrachait à ses idées sombres. A la fin de l'année 1864, Charles quitta Paris pour s'établir à Bruxelles. Le 17 octobre 1865, à Saint-Josse-ten-Noode, il épousa la filleule de Jules Simon : Alice Lehaene.

Mme Hugo accompagna son fils à Bruxelles. Cette fois son absence allait durer deux ans. De janvier 1865 à janvier 1867, elle ne reparut pas à *Hauteville House.* Le vieux mage était désormais presque seul sur son rocher. Sa belle-sœur vint tenir sa maison. Julie Foucher avait épousé un graveur, Paul Chenay, mais s'entendait mal avec lui. Juliette Drouet, elle, demeurait fidèle au poste. Plus les siens abandonnaient le *pater familias,* plus le vieil amant appartenait à la maîtresse fidèle.

Depuis trente ans, Victor Hugo pensait et travaillait à un grand roman social. Injustice des peines, rédemption du condamné, peinture des misères, influence d'un saint véritable, ces thèmes flottaient déjà dans son esprit aux jours où il écrivait *Le Dernier Jour d'un Condamné, Claude Gueux* et des poèmes comme *Pour les pauvres.* Dès 1840, il avait établi un premier plan de ce roman : *LES MISÈRES. — Histoire d'un Saint. — Histoire d'un Homme. — Histoire d'une Femme. — Histoire d'une Poupée.* L'esprit du temps soufflait dans ce sens : George Sand, Eugène Sue et même Alexandre Dumas, Frédéric Soulié écrivaient des romans sur les souffrances du peuple.

Juliette fut, au cours de ce long travail, un constant et ferme appui. Elle adorait le livre et le copiait avec délices.

Enfin le livre fut achevé. *Victor Hugo à Auguste Vacquerie :* « Ce matin, 30 juin 1861, à huit heures et demie, avec un beau soleil dans mes fenêtres, j'ai fini *Les Misérables.* » Il savait que l'ouvrage était beau, qu'un immense public le lirait, et il voulait en tirer parti pour assurer, à tout jamais, l'avenir des siens. Quel éditeur ? Il aimait l'ami Hetzel, mais ne le trouvait pas bon commerçant. Un jeune éditeur belge, Albert Lacroix, se proposa et accepta les conditions de l'auteur : trois cent mille francs pour cession exclusive pendant douze ans. C'était la première fois que Hugo touchait une telle somme. Triomphe. Lacroix gagna cinq cent dix-sept mille francs, bénéfice net, entre 1862 et 1868. A Bruxelles, un banquet fut organisé en l'honneur des *Misérables.* La critique fut moins enthousiaste. Les passions politiques déformaient les jugements.

Aujourd'hui le temps a rendu son jugement. *Les Misérables* sont acceptés, dans le monde entier, comme l'une des grandes œuvres de l'esprit humain. Jean Valjean, Cosette ont pris place dans le groupe, qui n'est pas très nombreux, des héros de roman universels.

Théophile Gautier, lui, disait des *Misérables :* « Ce n'est ni bien ni mal; cela n'est pas un produit humain, mais quelque chose de fabriqué par un élément. » La phrase s'appliquerait mieux à d'autres œuvres de l'exil, et singulièrement à *William Shakespeare,* « livre de critique épique, océanique », coulée de lave de laquelle émergent des statues géantes, encore brûlantes de feux sombres. Pour s'occuper de Shakespeare, Hugo eut trois raisons : 1864 allait être l'année du troisième centenaire, et le sujet, par là, redevenait actuel; François-Victor lui avait demandé une préface pour sa traduction; et surtout il éprouvait le besoin, quarante ans après *Cromwell,* de remplacer

Javert, illustration de Brion pour l'édition des *Misérables* parue chez Hetzel en 1865.

Jean Valjean, illustration de la même édition.

Gavroche à onze ans, dessin de Victor Hugo.

le manifeste par un bilan, qui serait le testament littéraire à la fois du XIXᵉ siècle et du romantisme.

Le vrai sujet, c'est le génie, ou *les génies*. Ceux qu'il met sur le plan de Shakespeare sont Homère, Job, Eschyle, Isaïe, Ezéchiel, Lucrèce, Juvénal, Tacite, saint Jean, Dante, Rabelais, Cervantes. Un seul Français; un seul Grec.

William Shakespeare fut publié en 1864; en 1865, *Les Chansons des Rues et des Bois* étonnèrent les détracteurs du poète apocalyptique et du critique prométhéen en rappelant soudain le Hugo sensuel et jovial. Toute sa vie, il avait aimé l'amour et pris plaisir à le chanter.

Donc un ballet charmant, bien réglé, où dansent les plus beaux mots du langage; un ballet Watteau-Chénier-Théocrite, où les idylles s'inscrivent en des trumeaux; où des entrées de blanchisseuses succèdent à des entrées de nymphes. Coup de cymbales, et le génial maître de ballet s'emploie à prouver au lecteur que, même sur ce rythme rapide, il peut passer sans effort de l'idylle à l'épopée. Le public mondain du Second Empire fit au livre un succès de vente. Cette veine, gracieusement libertine, était celle de l'époque.

Frontispice des *Travailleurs de la Mer,* parus en 1866.

Le public populaire, qui avait lu et approuvé *Les Châtiments,* ne s'intéressa pas à cette poésie trop savante.

L'année 1867 vit un événement qui, aux yeux de Juliette, fut grand : une visite de Mme Hugo à Hauteville Féerie, c'est-à-dire chez Mme Drouet. A partir de ce moment, Juliette prit « la douce habitude de s'immiscer dans toutes les tendresses de famille ». Un peu plus tard, elle passa trois mois à Bruxelles auprès de son bien-aimé et fut reçue place des Barricades. Elle fut même invitée, avec Charles, sa femme et leur fils, le petit Georges (quatre mois), à villégiaturer quelques semaines dans les bois de Chaudfontaine. Elle y fit la lecture à Mme Hugo, dont les yeux étaient fatigués.

Un nouveau rythme d'existence s'était établi. Mme Hugo vivait surtout à Paris, où le ménage Charles, de temps à autre, lui demandait l'hospitalité. François-Victor gardait à Bruxelles, avec Charles et Alice, la maison de la place des Barricades; Julie Chenay, sœur de Mme Hugo, et Juliette veillaient sur le grand proscrit à Guernesey. En été, la famille Hugo se réunissait à Bruxelles.

Extrémité du brise-lames à Guernesey. Dessin à la plume de Victor Hugo.

Cependant Hugo, lui, travaillait et créait. En 1866, il publia un long roman :
Les Travailleurs de la Mer. Il aimait les édifices géants et se plut à considérer
ce livre comme une pierre de l'édifice géant des Anankè (destins, fatalités)...
C'était à l'île de Serk, où il était allé en 1859, avec Juliette et Charles, qu'il
avait observé les manœuvres des marins pour escalader une falaise à pic;
les caves rocheuses des contrebandiers; et la pieuvre, qui devait lui fournir
un combat si dramatique. Des tempêtes, esquissées dans ses carnets, allaient
servir pour le livre qui s'appela d'abord *Gilliatt le Marin.*

François-Victor Hugo à son père : « Ton succès est immense, universel.
Jamais je n'ai vu pareille unanimité. Le triomphe des *Misérables* même est
dépassé. Cette fois, le maître a trouvé un public digne de lui. Tu as été compris,
c'est tout dire. Car comprendre, quand il s'agit d'une œuvre comme celle-là,
c'est admirer. Ton nom est dans tous les journaux, sur tous les murs, derrière
toutes les vitrines, dans toutes les bouches... »

Le Soleil, qui republiait le roman en feuilleton, voyait (malgré la parution
antérieure du volume) son tirage monter de 28 000 à 80 000 exemplaires.
La presse osait se dire enthousiaste. Ce livre-là ne réveillait pas les querelles
de partis.

Depuis le coup d'État, les drames de Victor Hugo, ennemi du régime,
n'avaient pas été joués à Paris. Vint 1867, année de l'Exposition universelle.
On prétendait montrer au monde ce que la France avait de plus beau. Lacroix
publiait un *Paris-Guide* dont Victor Hugo avait écrit la préface. La Comédie-
Française pouvait-elle, en un tel moment, renier l'un de ses grands auteurs ?
Une reprise d'*Hernani* fut suggérée. Victor Hugo se méfiait un peu.

Le succès fut « inénarrable ». L'adjectif est d'Adèle; pourtant elle narra :
« C'est de la frénésie. On s'embrassait jusque sur la place du Théâtre. La jeunesse
a dépassé, par l'ardeur, celle de 1830. Elle s'est révélée superbe, vaillante,
prête à tout. Je suis heureuse, je suis au ciel... » Dans la salle : Dumas, Gautier,
Banville, Girardin, Jules Simon, Paul Meurice, Adolphe Crémieux, Auguste
Vacquerie. Au paradis, la jeunesse des lycées.

Charles aurait voulu rester à Paris, y fonder un journal, mais le moment
était-il opportun ? Le « pèrissime », consulté, dit qu'il ne risquerait pas un
liard dans une telle entreprise. Il restait parfois plus d'un mois sans écrire,
étant engagé dans un nouveau roman : *Par ordre du Roi.*

Charles essayait de persuader son frère de venir le rejoindre à Paris. La vie
y était si agréable.

Mais François-Victor entendait être fidèle à l'exil. L'été 1868 approchait
et, avec lui, le temps de la réunion à Bruxelles. Mme Hugo se faisait fête de
revoir son mari : « Quant à moi, dès que je te tiendrai, je me cramponnerai
à toi sans te demander ta permission. Je serai si douce et si gentille que tu
n'auras pas le courage de me déserter. C'est la fin de mon rêve que de
mourir dans tes bras. » Défaillante, elle s'accrochait à cette force qui, si
souvent, l'avait terrifiée.

Vue générale de l'exposition universelle de 1867 à Paris.

Son vœu fut exaucé. Le 24 août 1868, elle fit une promenade en calèche avec son mari, lui très tendre, elle fort gaie. Le lendemain, vers trois heures de l'après-midi, elle fut atteinte d'une attaque d'apoplexie. Respiration sifflante. Spasmes, hémiplégie. *Carnet de Victor Hugo, 27 août 1868 :* « Morte ce matin, à six heures et demie. Je lui ai fermé les yeux. Hélas ! Dieu recevra cette douce et grande âme. Je la lui rends. Qu'elle soit bénie ! Suivant son vœu, nous transporterons son cercueil à Villequier, près de notre douce fille morte. Je l'accompagnerai jusqu'à la frontière... »

Tout de suite, il reprit, à *Hauteville House,* sa vie ouvrière et réglée. Chaque lundi, dîner des quarante enfants pauvres. Chaque soir, « dîner à Hauteville II. Ce sera tous les jours désormais, *Deo volente,...* » Et, de l'aube au crépuscule, travail. Il continuait « d'entasser Pélion sur Ossa ». Un sexagénaire annonçait une série de romans : *L'Homme qui rit* (ou l'Angleterre après 1688); la France avant 1789 (titre à trouver); *Quatrevingt-Treize.* L'aristocratie; la monarchie; la démocratie. Pour *L'Homme qui rit,* il avait longtemps cherché le vrai titre. A Lacroix, futur éditeur du livre, il avait annoncé : *Par ordre du Roi.* Puis, sur les conseils de ses amis : *L'Homme qui rit.* Roman historique ? A la fois, disait-il, « drame et histoire. On verra là une Angleterre inattendue. L'époque est à ce moment extraordinaire qui va de 1688 à 1705. C'est la préparation de notre XVIIIe siècle français ».

L'Homme qui rit eut moins de succès que les romans précédents, en partie par la faute de Lacroix, qui en fit l'occasion d'une entreprise de librairie trop commerciale, mais aussi parce que les romanciers réalistes ou naturalistes avaient accoutumé le public à chercher le pathétique dans le quotidien.

En 1869, des craquements annonçaient en France la fin du régime. Le désastre militaire au Mexique, la défaite diplomatique en Europe avaient irrité et humilié les Français. L'empereur, fatigué, malade, cédait du terrain. Les anciens rédacteurs de *L'Événement* (les deux fils de Hugo, Paul Meurice, Auguste Vacquerie) jugèrent que le moment était venu de fonder un journal pour attaquer le Second Empire et s'adjoignirent deux brillants polémistes : Henri Rochefort et Édouard Lockroy, fils de l'acteur. On chercha un titre. Victor Hugo proposa : *L'Appel au peuple. Le Rappel* plut mieux et fut choisi. Il parut le 8 mai 1869 et tira tout de suite à cinquante mille exemplaires.

Divertissant, frondeur, le journal réussit. Victor Hugo, de Guernesey, encourageait les combattants.

. En septembre, il accepta d'aller à Lausanne pour le congrès de la Paix.

Au retour, il voulut visiter la Suisse avec Juliette. A Schaffhouse, il fut heureux de revoir, après trente ans, la chute du Rhin.

Il travaillait encore, suivant l'inflexible horaire, mais cette activité ressemblait à celle des derniers jours avant un départ, où l'on achève en hâte des travaux en cours alors que l'on se sent déjà séparé du monde ancien. Chacun sentait confusément que quelque chose allait arriver. « La liberté couronnait l'édifice au moment où les fondations s'écroulaient. » En mai 1870, les réformes furent

Affiche de la Commune du 23 mai 1871. ▶

RÉPUBLIQUE FRANÇAISE

LIBERTE — EGALITE — FRATERNITE

N° 395 N° 395

COMMUNE DE PARIS

LE PEUPLE DE PARIS
AUX SOLDATS DE VERSAILLES

FRÈRES!

L'heure du grand combat des Peuples contre leurs oppresseurs est arrivée!

N'abandonnez pas la cause des Travailleurs!

Faites comme vos frères du 18 mars!

Unissez-vous au Peuple, dont vous faites partie!

Laissez les aristocrates, les privilégiés, les bourreaux de l'humanité se défendre eux-mêmes, et le règne de la Justice sera facile à établir.

Quittez vos rangs!

Entrez dans nos demeures.

Venez à nous, au milieu de nos familles. Vous serez accueillis fraternellement et avec joie.

Le Peuple de Paris a confiance en votre patriotisme.

VIVE LA RÉPUBLIQUE!

VIVE LA COMMUNE!

3 prairial an 79.

LA COMMUNE DE PARIS.

IMPRIMERIE NATIONALE. — Mai 1871.

soumises à un plébiscite et sept millions cinq cent mille « oui » semblèrent consolider l'empire libéral.

La guerre de 1870. En Europe, Bismarck cherchait la guerre. Pour Hugo, la guerre posait un cas de conscience. L'empire vainqueur, c'était l'homme du 2 décembre consolidé. L'empire vaincu, c'était la France humiliée. Fallait-il rentrer comme garde national et se faire tuer pour la France, en oubliant l'empire ? Avec l'aide de Juliette, il fit et boucla sa valise. En tout cas, il irait à Bruxelles. Le 9 août, il devint clair que la guerre tournait à la catastrophe. Trois batailles perdues coup sur coup.

Le 15 août, il s'embarqua avec Juliette, Charles, Alice, les enfants, la nourrice de Jeanne et trois servantes. Le 18 août, on était réinstallé place des Barricades.

Canons à Montmartre pendant le siège de Paris, 1870-1871.

Un coin du marché Saint-Germain : boucherie canine et féline installée chez un marchand de volailles, pendant le siège.

Le 19, il alla demander un passeport, pour Paris, à la chancellerie de l'ambassade de France.

Le 3 septembre, l'empereur capitula et, le 4, la république fut proclamée. *Retour à Paris.* Le 5, Victor Hugo, au guichet de la gare de Bruxelles, demanda d'une voix tremblante d'émotion : « Un billet pour Paris. » Il était coiffé d'un feutre mou, une sacoche de cuir suspendue à l'épaule par une courroie. Il regarda l'heure, celle de la fin de l'exil, et, très pâle, dit à Jules Claretie, un jeune écrivain qui l'accompagnait : « Voilà dix-neuf ans que j'attends ce moment-là. » Le train arriva à 9 heures 35. Une foule immense attendait. Accueil indescriptible.

La fille de Théophile Gautier, Judith, était là. Ce fut au bras de cette beauté qu'il gagna un petit café, en face de la gare. D'un balcon du premier étage, puis de sa calèche, le grand proscrit dut parler quatre fois. On criait : « Vive Victor Hugo ! », on récitait des vers des *Châtiments*. La foule voulait le mener à l'Hôtel de Ville. Un immense orage, éclairs et tonnerre, éclata dans la nuit. Le ciel lui-même était complice.

Chez Paul Meurice, avenue Frochot, où il était descendu, Hugo reçut d'innombrables visites. Dès son arrivée, il avait écrit un *Appel aux Allemands.* Quand il vit le cercle de fer se resserrer autour de Paris, il devint farouche. Dans de nombreux théâtres, on lisait les poèmes des *Châtiments,* les recettes devant servir à acheter des canons pour l'armée de Paris. Le succès fut tel que le comité put acquérir trois canons, nommés *Châteaudun, Châtiments* et *Victor Hugo.* Les acteurs venaient répéter avenue Frochot. Victor Hugo reçut ainsi Frédérick Lemaître, Lia Félix, Marie Laurent. Il était heureux de retrouver cet air de théâtre, si vif et grisant que nul, l'ayant une fois respiré, ne l'oublie.

Dans les rues, on voyait passer des lignards, des mobiles, des francs-tireurs, souvent chargés de légumes ramassés sous le feu de l'ennemi. Les magasins se vidaient. Les ouvriers, en blouse et chapeau rond, criaient : « Vive la Commune ! » On battait le rappel. Le 31 octobre, la Commune (Blanqui, Flourens) tenta de renverser le gouvernement provisoire. Comme tous les Parisiens, Hugo n'avait plus grand-chose à manger. « On fait des pâtés de rats. On dit que c'est bon. » Le Jardin des plantes lui envoyait de l'ours, du cerf, de l'antilope.

Le bombardement éventrait Paris; le quartier de son enfance, les Feuillantines, souffrait; un obus avait crevé, à Saint-Sulpice, la chapelle de la Vierge, où jadis Hugo s'était marié. Les amis de la Commune pressaient de plus en plus vivement le poète de les aider à renverser le gouvernement. Il méprisait maintenant Trochu. Pourtant il jugeait plus dangereux encore pour le pays un soulèvement en présence de l'ennemi que le maintien de ce gouvernement impuissant, « nain qui prétendait faire un enfant à cette géante : la France ». Au début, Paris avait accepté le siège avec un joyeux courage, puis la comédie héroïque avait tourné au tragique. La famine s'installait. Les obus sifflaient. Au loin Saint-Cloud, rose, brûlait. Des sorties échouèrent à Champigny, à Montretout, « par l'incapacité des chefs », disaient les Parisiens. Le soir du 28 janvier, ce fut l'armistice. Il neigeait, comme dans *L'Expiation.* Le dur Bismarck disait : « La bête est morte. » Paris vit entrer des poulets, de la viande de boucherie, mais aussi des casques à pointe.

Il fallait élire, pour faire la paix, une Assemblée nationale, qui devait siéger à Bordeaux. Naturellement, Victor Hugo fut candidat dans la Seine et, certain d'être élu, partit pour Bordeaux. Bien que l'idée d'appartenir à l'Assemblée qui entérinerait la défaite lui déplût, il ne pouvait se dérober.

Dans cette ville envahie par les députés, il était difficile de se loger, surtout pour Hugo, qui ne se déplaçait pas sans sa tribu. Charles et les siens trouvèrent un petit appartement, 13, rue Saint-Maur; Alice remarqua que le chiffre 13 les poursuivait : on était parti le 13 février; on avait été treize voyageurs dans le wagon-salon. Très superstitieux, le poète flairait un malheur proche.

L'Assemblée nationale de Bordeaux discutant les conditions de la paix en mars 1871. ▶

Gambetta, Louis Blanc, Brisson, Lockroy, Clemenceau entouraient Victor Hugo et firent de lui le président de la gauche.

Le 8 mars, l'Assemblée discuta le cas Garibaldi. On proposa d'annuler l'élection (en Algérie) du grand Italien, qui pourtant s'était mis, dans les pires jours, au service de la France. Hugo protesta, dans le tumulte, à la rage de la majorité. « Il y a trois semaines, vous avez refusé d'entendre Garibaldi... Aujourd'hui, vous refusez de m'entendre. Cela me suffit. Je donne ma démission... »

La mort de Charles.

Depuis quelques jours, Hugo dormait mal. Il pensait qu'il allait encore quitter un logis temporaire le 13 mars. Mauvais présage. Tout le jour, il erra dans Bordeaux, alla voir le palais Gallien. Il devait dîner au restaurant Lanta, avec Alice, Charles et trois amis. A l'heure dite, Alice et les autres convives étaient là; Charles se faisait attendre. Il avait pris un fiacre... En ouvrant la porte, au *Café de Bordeaux,* le cocher l'a trouvé mort. Le sang lui

Les obsèques de Charles Hugo eurent lieu dans un Paris en révolte contre l'Assemblée, le 18 mars 1871.

Incendie de l'Hôtel de Ville de Paris pendant la Commune, le 24 mai 1871.

sortait par le nez et par la bouche. C'était une apoplexie foudroyante. Hugo décida que son fils serait enterré au Père-Lachaise, dans le tombeau du général Hugo. Il quitta Bordeaux le 17 mars, à six heures trente du soir, abattu mais courageux.

Le train funèbre entra dans Paris en pleine émeute. La Commune prenait le pouvoir. Révolutionnaires et patriotes étaient unis par la colère, contre le traité et l'Assemblée. Des rumeurs couraient; on se battait à Montmartre; deux généraux auraient été fusillés. Au cimetière, Vacquerie parla. Avant que le cercueil fût descendu, Hugo se mit à genoux et le baisa. C'était son rituel. Quand il partit, la foule l'entoura. Des inconnus lui prenaient les mains. « Comme ce peuple m'aime et comme je l'aime ! »

Tout de suite, avec Juliette, Alice et les enfants, il partit pour Bruxelles, où Charles avait vécu depuis son mariage et où s'ouvrait la succession, lourdement obérée.

La Commune.

Victor Hugo en 1872, par Flameng.

Hugo suivit avec attention les événements de Paris. Ils étaient lamentables. On se battait entre Français, sous l'œil de l'ennemi. Si Hugo s'était cru bon à quelque chose, il fût, disait-il, rentré à Paris malgré ses devoirs de famille.

Mais à Paris comme à Versailles, l'esprit de haine l'emportait. Chaque jour, Hugo apprenait la mort ou l'arrestation de quelque ami. Les vaincus de la Commune refluaient vers la Belgique; Hugo fit annoncer qu'il donnerait asile dans sa maison (place des Barricades, nº 4) aux nouveaux proscrits. « Ne fermons pas notre porte aux fugitifs, innocents peut-être, à coup sûr inconscients... »

Sa protestation en faveur du droit d'asile parut dans *L'Indépendance belge*.

Dessin de Victor Hugo représentant la maison au coin du pont sur l'Our
qu'il habita à Vianden, au Luxembourg, après la Commune.

Il reçut beaucoup de lettres le félicitant, mais, dans la nuit, fut réveillé par
des cris : « A mort Victor Hugo ! A mort le brigand ! A la lanterne ! » De
grosses pierres brisaient ses vitres, ses lustres. Affaire peu grave au fond,
mais un décret du gouvernement belge enjoignit « au sieur Victor Hugo,
homme de lettres, âgé de soixante-neuf ans, de quitter immédiatement le
royaume, avec défense d'y rentrer à l'avenir ».

Il faut dire à l'honneur de la Belgique que les protestations contre cette
expulsion furent véhémentes, tant à la Chambre des représentants que dans
tout le pays. Hugo écrivit une noble lettre. Rentrer en France à ce moment
eût été s'exposer à des scènes violentes et vaines. Il décida d'aller au
Luxembourg. A Vianden, il loua deux maisons : l'une, ancienne, sculptée,
penchée sur la rivière Our, pour lui-même; l'autre, en face, pour les siens.
Tout de suite il se mit au travail, heureux de retrouver son roman et ses poèmes,
mais bouleversé par les nouvelles de Paris. Meurice avait été arrêté, Vacquerie
inquiété; Rochefort semblait promis à la déportation; Louise Michel, « sauvage,
petite rêveuse », criait au conseil de guerre : « Si vous n'êtes pas des lâches,
tuez-moi. » Hugo écrivit pour elle de beaux vers et protesta contre l'excès

des représailles. Ce furent deux mois d'un travail incroyablement fécond.

Le 1er octobre, il gagna Paris. Retour assez sinistre. Il fit une promenade en voiture avec Juliette et vit les ruines des Tuileries, de l'Hôtel de Ville. On le supplia d'intervenir en faveur de Rochefort. Dans *Le Rappel,* enfin autorisé à reparaître, il publia, dès le premier numéro, une *Lettre aux Rédacteurs.* Le numéro fit prime, Hugo gardait ses lecteurs, fidèles, mais les notables le haïssaient.

L'année 1872 lui parut lugubre. Aux élections de janvier, il fut battu; son indulgence pour les communards effrayait.

Seuls le travail et la vie sensuelle gardaient le pouvoir de l'arracher à ses fantômes. Les femmes continuaient à jouer dans sa vie un grand rôle. Il avait alors soixante-dix ans. Une reprise de *Ruy Blas* à l'Odéon le rapprocha, une fois encore, des actrices. Juliette assista à la lecture aux futurs interprètes. « J.-J. était là, nota Hugo le 2 janvier, ô souvenirs !... » Le rôle que Mme Hugo avait jadis fait retirer à Mlle Juliette, celui de la reine, échut à Sarah

Sarah Bernhardt
dans le rôle de la Reine de *Ruy Blas,*
repris à l'Odéon le 19 février 1872.

Judith Gautier, qui avait épousé Catulle Mendès.

Bernhardt, fille jeune, souple, aux yeux immenses, à la voix d'or. Quand elle connut « le monstre », elle en raffola.

Le jour de la première, auteur et actrice en étaient aux tendresses. Parmi les admiratrices innombrables, actrices, femmes de lettres, dames à salon, qui viennent alors s'offrir et remplissent les carnets intimes de leurs photographies (soigneusement collées au verso de certains feuillets, et souvent accompagnées de fleurs sèches), la reine de l'heure est Judith Gautier, telle que l'a vue Edmond de Goncourt, très belle, cheveux noirs, teint « d'une blancheur à peine rosée, grands yeux où des cils d'animal donnent à la léthargique créature l'indéfinissable et le mystérieux d'une femme-sphinx... » Il la connaissait et la courtisait depuis Bruxelles, où elle était venue avec son mari, Catulle Mendès. En 1872, elle vit souvent Hugo. Conquête enivrante; il souhaita faire venir Judith à *Hauteville House*. Car il voulait s'y réfugier. Le succès de *Ruy Blas* avait inspiré à tous les directeurs de théâtre le désir de reprendre d'autres drames de Victor Hugo. « Mais les répétitions d'une pièce, disait-il, ça m'empêche d'en faire une autre et, comme je n'ai plus que quatre ou cinq années à produire, je veux faire les dernières choses que j'ai en tête... Au fond, il faudrait s'éloigner. » *L'Année terrible,* recueil admirable, avait été accueillie sans délire. Avec bonheur, s'arrêtant au passage à Jersey, il partit pour Guernesey le 7 août 1872.

Hauteville House. Joie de retrouver le *look-out,* cellule transparente où il travaillait inondé de lumière, et les flots bondissants. En quelques mois, il compose des esquisses pour le *Théâtre en liberté,* des pièces pour la nouvelle *Légende des Siècles,* et un de ses plus beaux romans : *Quatrevingt-Treize.*

Au début, la maison fut égayée par la présence d'Alice et des enfants. Mais une très jeune veuve ne pouvait guère aimer la solitude dans une île, sous la tutelle de la vieille maîtresse de son beau-père. Mme Charles Hugo était douce et bonne. Était-ce sa faute si elle s'ennuyait ?

Le 1er octobre, François-Victor (malade, tuberculeux), Alice, Georges et Jeanne s'embarquèrent pour la France. *Carnet :* « Ils montent en voiture... J'embrasse Jeanne, qui s'étonne, et me dit : « *Papapa,* monte donc. » Je referme la portière. La voiture part. Je les suis jusqu'au tournant de la rue. Tout disparaît. Profond déchirement... »

Paul Meurice, Édouard Lockroy le pressaient de rentrer à Paris pour y exercer une action politique. Mais il savait que Guernesey était pour lui le salut : « Je fais plus ici en une semaine qu'en un mois à Paris. » Et la qualité valait la quantité.

Quatrevingt-Treize.   Jamais il n'avait travaillé à un roman avec plus de bonheur qu'à *Quatrevingt-Treize.* Écrire droit devant soi, telle avait été sa méthode au temps de *Notre-Dame de Paris,* à trente ans; le septuagénaire n'avait ni moins de vigueur ni moins de constance dans l'inspiration. *Quatrevingt-Treize,* c'était le conflit qui avait été celui de sa jeunesse, celui des Blancs et des Bleus, non plus dans une âme, comme chez Marius des *Misérables,* mais en action. Le décor, celui de la chouannerie, lui était familier. Juliette copia le livre avec enthousiasme : « Je suis confondue d'admiration devant la table de multiplication de tes chefs-d'œuvre. »

Le 1er janvier 1873, elle répéta la prière qu'il avait jadis formulée pour elle : « O Dieu, faites-nous vivre ensemble à jamais. Exaucez-le en moi, exaucez-moi en lui. Faites qu'il ne manque à aucun jour de ma vie et à aucun instant de mon éternité... » Mais le plaisir attire plus fort que ne retient un serment. *Quatrevingt-Treize* était achevé; les nouvelles de François-Victor devenaient alarmantes. Le 31 juillet 1873, Hugo ramena Juliette en France. Mac-Mahon venait d'y succéder à Thiers; les gens à épaulettes triomphaient et on pouvait se demander si un nouveau coup d'État ne se préparait pas. En tout cas, la répression se raidissait.

Frontispice de *Quatrevingt-Treize.* ▶

QUATREVINGT TREIZE

PAR

VICTOR HUGO

LES PLACARDS POPULAIRES

VICTOR HUGO et ses deux fils

10^{C.} **10^{C.}**

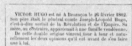

Charles HUGO

François-Victor HUGO

VICTOR HUGO est né à Besançon le 26 février 1802. Son père était le général comte Joseph-Léopold Hugo, c'est-à-dire sortait de la Révolution et de l'Empire. Sa mère, au contraire, appartenait à une famille vendéenne.

De cette double origine suivront tour à tour et naturellement les deux opinions qu'il eut avant de s'en faire une à lui.

Il fut d'abord royaliste avec sa mère et chanta les Bourbons.

— Laissez faire le temps, disait le général Hugo. L'enfant est de l'opinion de la mère; l'homme sera de l'opinion du père.

Le changement ne se fit pas attendre. Sensible dans l'Est, son père, en changeant avec tous, composa par le *Chant de l'arc de triomphe de l'Étoile*, et éclata comme une trompette meurtrière dans l'*Ode* à *la colonne*.

Victor Hugo, qui s'était marié quelques années auparavant avec Mlle Adèle Foucher, une compagne d'enfance, ne devait pas, d'ailleurs, s'attarder longtemps avec la légende de l'Empire. Dès 1830, il était républicain et pour toujours, tout en acceptant la royauté mixte de Louis-Philippe, qui lui semblait une transition utile.

Cependant Victor Hugo voulut bientôt prendre une part immédiate à la politique. Il ne pouvait arriver à la Chambre des députés : il se rejeta sur la Chambre des pairs, et, pour y atteindre, se présenta à l'Académie. Trois fois ce fut en vain. Enfin il enfonça la porte (1841), et le gouvernement de Juillet saisit la première occasion pour profiter du droit qu'il avait de prendre des pairs à l'Académie et lui ouvrit les portes du Luxembourg (1845).

Dès lors commença la véritable vie politique de Victor Hugo, incarnation de la lumière et de la liberté, racontée en détail dans notre *Victor Hugo homme politique*.

Arriva la Révolution de 1848. Victor Hugo défendit jusqu'au dernier moment le gouvernement auquel il avait prêté serment, et, vaincu, reprit son serment intact de main du peuple.

Les électeurs républicains de Paris ne purent l'envoyer à l'Assemblée nationale; mais ils prirent leur revanche et le firent entrer un des premiers à l'Assemblée constituante.

Comme à l'Assemblée constituante, Victor Hugo parut un des premiers à l'Assemblée législative, et ce fut pour lutter contre Bonaparte, qui ne tarda pas à se faire empereur. Il faut lire, entre autres de ses discours, celui du 17 juillet 1851, où il jeta au misérable le nom de « Napoléon le Petit » comme une marque indélébile.

Glorieuse lutte! mais, hélas! Victor Hugo ne put empêcher l'attentat du 2 Décembre de réussir.

Exilé, Victor Hugo reprit la lutte contre Bonaparte et l'Empire, et, quand l'un et l'autre furent tombés dans la boue sanglante de Sedan, il revint à Paris pour prendre sa part des tortures de l'héroïque ville assiégée.

Nommé à l'Assemblée nationale, réunie pour traiter de la paix ou de la guerre, il repoussa toute paix honteuse et donna presque aussitôt sa démission devant l'insulte faite par la droite à Garibaldi.

Élu sénateur le 30 janvier par le département de la Seine, il prit, avec Raspail à la Chambre des députés, l'initiative de la demande d'amnistie, qui fut repoussée.

Benjamin PIFTEAU.

CHARLES-VICTOR HUGO

CHARLES-VICTOR HUGO, fils aîné de Victor Hugo, est né à Paris le 2 novembre 1826.

Il fit de brillantes études au lycée Charlemagne, à deux pas de la maison paternelle de la place Royale, 9. Vint la Révolution de 1848, et Lamartine, qui était devenu ministre des affaires étrangères, se l'attacha comme secrétaire. En même temps, il fut l'un des rédacteurs du journal de son père, l'*Événement*.

C'est là qu'il fit, à propos d'une exécution qui avait eu lieu avec des détails atroces, un article si éloquemment indigné que le jury le condamna en cour d'assises et le fit condamner à six mois de prison, malgré l'admirable « plaidoyer du père pour le fils ».

Après le coup d'État du 2 Décembre, il suivit son père en exil, faisant parfois seulement quelques excursions artistiques sa plume.

Cependant, plus que son père ni son frère, il ne laissa dormir sa plume.

En 1857, il donna le *Cochon de saint Antoine*, fantaisie philosophique, en 3 volumes; en 1859, la *Bohème dorée*, roman de mœurs, en 2 volumes, et la *Chaise de paille*, autre roman, en 1 vol.; en 1860, *Une Famille tragique*, roman-feuilleton publié par la *Presse*.

Depuis, le *Rappel* publia avec le plus grand succès ses *Hommes de l'exil*, éloquente étude sur ces vaillants citoyens qui, comme Schœlcher et Noël Parfait, avaient lui devant le 2 Décembre; mais le digne fils du grand homme n'était plus.

Il était mort à Bordeaux, où il accompagnait son père, dans une réunion politique.

Son enterrement, qui eut lieu à Paris le 18 mars 1871, fut l'occasion d'une imposante ovation et de la douleur paternelle, comme on peut le voir dans notre *Victor Hugo homme politique*. Il avait épousé la fille d'un éditeur de Bruxelles.

Benjamin PIFTEAU.

FRANÇOIS-VICTOR HUGO

FRANÇOIS-VICTOR HUGO, second fils de Victor Hugo, est né à Paris le 22 octobre 1828.

Il fit, comme son frère, ses études au lycée Charlemagne, et elles furent des plus brillantes. On reconnaissait dans ces deux fils l'élève écrivant à 14 ans, pour le concours de l'Académie, les *Louanges de l'étude*, et recevant au prix des Jeux floraux de Toulouse à 17 ans.

Retiré entre son père et son frère à Jersey, puis à Guernesey, François-Victor fit comme eux : il remplit les longues heures de l'exil par le travail.

Il publia d'abord l'*Île de Jersey, ses monuments, son histoire*, ou *la Normandie inconnue* (1857, in-8°), étude d'un véritable mérite; puis, dans la même année, les *Sonnets de Shakespeare*, traduits pour la première fois en français, avec une Introduction remarquable.

Enfin, en 1860, il commença la publication de son œuvre capitale, qu'il avait étudiée et préparée entre ses deux Shakespeare, en s'inspirant du premier pour mieux comprendre le second : sa magnifique traduction des *Œuvres complètes de Shakespeare*, avec une étude sur chaque pièce.

Rentré en France avec son père, il restait pour consoler celui-ci de la perte de son premier fils, quand, bientôt atteint d'une maladie que ne pardonne pas, il alla rejoindre son aîné, ne laissant plus ni père, devenu comme orphelin, que les deux enfants de Charles : Georges et « la petite Jeanne », que le retient à la vie.

De même que pour celui qui l'avait précédé dans la tombe, les funérailles de François-Victor (26 déc. 1873) furent l'occasion d'une immense ovation, qui revint du cimetière en répétant avec douleur les beaux vers des *Feuilles d'automne*, où il demande à Dieu de ne jamais voir « la cage sans oiseau, la maison sans enfants! »

Benjamin PIFTEAU.

116

Il alla vivre à Auteuil, avenue des Sycomores, chez son fils mourant que soignait avec bonté Mme Charles Hugo. Goncourt les y vit, François-Victor dans un fauteuil, « le teint cireux, les bras contractés dans un pelotonnement frileux », le père debout « dans la rigidité d'un vieil huguenot de drame ». François-Victor mourut le 26 décembre 1873. *Carnet de Victor Hugo :* « Encore une fracture, et une fracture suprême dans ma vie. Je n'ai plus devant moi que Georges et Jeanne... » L'enterrement, comme celui de Charles, fut civil.

La mort de François-Victor.

Le 1er janvier 1874, Hugo se réveilla vers deux heures du matin et alla écrire un vers qui lui était venu : « Et maintenant à quoi suis-je bon ? A mourir. » Mais il savait que ce n'était pas vrai. Malgré les coups redoublés du destin, le vieux chêne restait debout; malgré les deuils, Hugo travaillait dans le bonheur. Il ne se lassait pas « de s'accomplir et de se fortifier dans son art... Quels vers prodigieux, dit Paul Valéry, quels vers auxquels aucun vers ne se compare en étendue, en organisation intérieure, en résonance, en plénitude, n'a-t-il pas écrits dans la dernière période de sa vie ?... »

Le 29 avril 1874, la famille s'installa rue de Clichy, n° 21. Hugo avait loué là deux étages : l'un pour lui-même, Alice et les enfants; l'autre où se trouvaient les pièces de réception et l'appartement de Mme Drouet.

Les appartements se trouvaient au troisième et au quatrième; Hugo montait les escaliers sans essoufflement aucun. Il gardait la vue d'un jeune homme et s'étonna fort quand, pour la première fois de sa vie, il eut mal aux dents.

La pauvre Juliette défendait encore son vieil amour, mais la ronde infernale des jeunes maîtresses continuait.

Le délire érotique n'entamait pas les matinées de travail. Dès l'aube, dans son « capharnaüm », les voisins l'observaient debout à son pupitre, en vareuse rouge et houppelande grise. Le soir, entouré d'amis, il était, dit Flaubert, « adorable ». Edmond de Goncourt, dînant rue de Clichy le 27 décembre 1875, le vit en redingote à collet de velours, la corde lâche d'un foulard blanc autour du cou, se laissant tomber sur un divan et parlant du rôle de conciliateur qu'il voulait désormais jouer.

Rue de Clichy, outre les amis de lettres, venaient les amis politiques : Louis Blanc, Jules Simon, Gambetta, Clemenceau. Peu à peu les esprits, apaisés par le temps, inclinaient au pardon de la Commune, et Hugo, l'homme de la clémence, apparaissait comme un précurseur. Juliette, avide pour lui de popularité, souhaitait le voir rentrer dans la vie politique. En janvier 1876, sur la proposition de Clemenceau, il fut candidat au sénat et élu au second tour.

Mil huit cent soixante-dix-sept fut une année de batailles politiques. Le président du Conseil, Jules Simon, familier de la rue de Clichy, Israélite au tempérament de cardinal romain, essayait en vain de s'entendre avec Mac-Mahon, qui ne supportait pas l'anticléricalisme de Gambetta. *Carnet de Victor Hugo, 19 septembre 1877 :* « Manifeste de Mac-Mahon. Un homme provoquant la France... » Quelques jours auparavant, il avait reçu rue de Clichy, à neuf

◄ Premier numéro des *Placards populaires.*

heures du matin, l'empereur du Brésil, don Pedro, qui l'avait traité comme il eût jadis voulu que le traitassent les rois de France : en égal. Le Sénat était comme une ruche en rumeur. Le 21 juin, Victor Hugo prononça contre la dissolution un grand et beau discours. Il fut acclamé par la gauche. Le lendemain, Jeanne (huit ans), en entrant dans sa chambre, lui demanda : « Au Sénat, ça s'est-il bien passé ? » Ça s'était très bien passé, mais le discours n'avait, comme toujours, convaincu que ceux qui l'étaient déjà.

La dissolution fut votée de justesse : 149 voix contre 130. Aux élections, les républicains obtinrent une majorité écrasante : 326 voix contre 200. La position du maréchal devenait impossible. « Il faut se soumettre ou se démettre », lui disait Gambetta. Il se soumit, puis se démit. Le rôle de Victor Hugo dans la victoire de la gauche avait été limité par son âge et son éloignement des affaires, mais incontestable. Il faisait désormais, écrit Pierre Audiat, « dans la Troisième République, figure de patriarche et de docteur ».

L'Art d'être Grand-Père. En 1877, il avait publié *L'Art d'être Grand-Père*. Il avait toujours aimé les enfants; il les comprenait; il jouissait vivement de ce qu'il y a en eux de primitif, de naturel et de poétique. Privé tragiquement de ses fils et de ses filles, il s'était attaché avec dévotion à ses petits-enfants. Georges était beau et grave, Jeanne mutine et gaie. Le grand-père jouait avec eux, dessinait leurs portraits, conservait leurs petits souliers, comme Jean Valjean ceux de Cosette enfant. Il notait leurs mots. *L'Art d'être Grand-Père* était fait, pour une part, des notes de l'aïeul « adorant et ravi ». Le succès fut très vif. Les hommes aiment les émotions simples et douces. La première édition avait été enlevée en quelques jours; les suivantes se succédèrent rapidement. Georges et Jeanne devinrent des enfants légendaires que Paris admirait, comme Londres ses princes royaux.

Les vers archangéliques de l'aïeul ne doivent pas fausser les dernières images de Victor Hugo. L'adoration de la pureté enfantine n'avait pas mis fin aux fredaines du grand-père. Le 11 janvier 1877, Alice lui déclara qu'après six années de veuvage elle allait se remarier avec Édouard Lockroy, député des Bouches-du-Rhône, ancien secrétaire de Renan, journaliste mordant et spirituel.

Ce mariage laissait Victor Hugo plus libre de ses mouvements. Malgré ses soixante-quinze ans, il en abusait. Non qu'il ne fût de plus en plus conscient des disgrâces du vieillard amoureux. Il avait écrit un *Philémon perverti,* comédie restée à l'état d'ébauche, où il traitait durement son propre personnage. Philémon n'était pas retenu par la douleur de la tendre Baucis; il cédait aux sortilèges de la jeune Eglé.

Il se surmenait aussi d'autre manière, publiant l'*Histoire d'un Crime,* qu'il jugeait plus actuelle que jamais, soutenant la candidature de Jules Grévy, prenant la parole éloquemment aux fêtes du centenaire de Voltaire, présidant un congrès littéraire international. C'était trop, même pour un Titan. Dans la nuit du 27 au 28 juin 1878, par un temps chaud, après un dîner trop copieux

Victor Hugo et ses deux petits-enfants : Georges et Jeanne,
héros de *L'Art d'être Grand-Père.*

et une discussion violente (au sujet d'une solennité Rousseau-Voltaire) avec
le petit Louis Blanc, il eut une très légère congestion cérébrale. Baucis-Juliette
le supplia de partir au plus vite pour Guernesey et il finit par céder, le 4 juillet.

Là, il se remit vite, mais les nymphes dévorantes continuaient d'écrire.
Juliette, qui, cette fois, vivait à *Hauteville House,* le voyait, à l'arrivée du
courrier, cacher des enveloppes dans ses poches.

Boudeur, il la rabrouait et la surnommait la maîtresse d'école.

En octobre, elle hésitait encore à suivre Hugo à Paris, offrait de
partager la solitude de Julie Chenay, gardienne de *Hauteville House.* Pourtant,
le 9 novembre, les vieux amants s'embarquèrent ensemble sur la *Diana.*

Meurice avait loué pour eux, avenue d'Eylau, nº 130, un petit hôtel appar-

Victor Hugo à Guernesey, au cours de l'été 1878.

tenant à la princesse de Lusignan. Le ménage Lockroy, Georges et Jeanne s'installèrent à côté, au 132.

Par les soins de ses disciples, de beaux recueils de vers paraissaient chaque année : en 1879, *La Pitié suprême* ; en 1880, *Religions et Religion, L'Ane* ; en 1881, *Les Quatre Vents de l'Esprit* ; en 1882, *Torquemada* ; en 1883, la dernière *Légende des Siècles*. Le monde des lettres, demi-rebelle, demi-émerveillé, s'étonnait de cette vieillesse féconde. En fait, tous ces vers étaient anciens.

En 1881, l'entrée de Victor Hugo dans sa quatre-vingtième année fut célébrée comme une fête nationale. Un arc de triomphe avait été élevé avenue d'Eylau. Le peuple de Paris fut invité à défiler, le 26 février, sous les fenêtres du poète. Les villes de province envoyèrent de nombreuses délégations et des fleurs. Le président du Conseil, Jules Ferry, était venu la veille associer le gouvernement à cet hommage. Toutes les punitions furent levées dans les lycées, collèges et écoles. Debout à sa fenêtre ouverte, indifférent au froid de février, Victor Hugo, entre Georges et Jeanne, regarda tout le jour passer un cortège de six cent mille admirateurs. Un monceau de fleurs, haut comme un talus, montait de la chaussée. Il remerciait, d'un geste hiératique de la tête.

En juillet, l'avenue d'Eylau fut rebaptisée : avenue Victor-Hugo, et les amis purent écrire : « A Monsieur Victor Hugo, en son avenue. » Le 14 juillet, nouveau défilé de musiques, de fanfares, d'orphéons et cent fois *La Marseillaise*, qu'il aimait. Le 21 juillet, la Saint-Victor fut une fête plus intime. Du 21 août au 15 septembre 1882, Juliette, maîtresse honoraire mais enfin « déclarée », fit avec Victor Hugo un séjour à Veules-les-Roses, chez Paul Meurice. En rentrant, elle dut s'aliter. Elle souffrait d'une tumeur maligne des voies digestives. Dans son visage de vieille femme, creusé par le cancer, rien ne restait de l'éclatante beauté de 1830, rien sinon la douceur tendre des yeux et la bouche bien modelée.

On se souvient que, le 22 novembre 1832, avait eu lieu la première du *Roi s'amuse* et que la pièce, interdite, n'avait pu, en ce temps-là, être jouée une seconde fois. Pour célébrer le cinquantenaire, Émile Perrin, adminis-

Les Parisiens défilent devant la maison de Victor Hugo,
avenue d'Eylau, le 26 février 1881, pour l'anniversaire du poète.

Victor Hugo en mage, ▶
peint par A. Gill.

Juliette Drouet,
qui mourut le 11 mai 1883,
à soixante-dix-sept ans.

trateur du Théâtre-Français, remonta le drame et tint à ce que la reprise eût lieu le 22 novembre 1882. Juliette Drouet, mourante, assista (suprême honneur) à cette représentation, avec Victor Hugo, dans la loge de l'administrateur. Le président de la République, Jules Grévy, occupait l'avant-scène officielle. Après cet ultime hommage, Juliette n'avait plus qu'à mourir de faim.

Mort de Juliette.   De cette mort toute proche, elle parlait le moins possible, bien qu'elle connût son état, parce que, a écrit Louis Guimbaud, Victor Hugo exigeait (comme Goethe) que l'on « se débarbouillât de sa tristesse » et que l'on secouât « toute mélancolie avant que de paraître chez lui ». Aux dîners de l'avenue d'Eylau (avenue Victor Hugo après 1881), émaciée, méconnaissable, Juliette jouait une sublime comédie.

Elle mourut le 11 mai 1883, à l'âge de soixante-dix-sept ans. Victor Hugo la fit enterrer au cimetière de Saint-Mandé, près de Claire Pradier, sous la dalle que Juliette avait elle-même choisie. Accablé, il ne put quitter la maison mortuaire pour suivre le convoi. Auguste Vacquerie, ordonnateur hugolien des pompes funèbres, fit un discours : « Celle que nous pleurons était une vaillante... »

Souvent Hugo intervenait, dans le monde entier, pour sauver un condamné, pour défendre des Juifs contre un pogrom, des insurgés contre une répression. Romain Rolland, adolescent, conservait un numéro du *Don Quichotte* où un dessin en couleurs représentait le vieux Orphée, auréolé de ses cheveux blancs, touchant la lyre, élevant sa voix pour les victimes. Une sorte de Tolstoï français. « Il s'était institué le gardien de l'immense troupeau des

hommes. » A sa croyance en l'immortalité, il demeurait fidèle. Le 31 août 1881, il rédigea d'une main ferme un testament :

Dieu. L'âme. La responsabilité. Cette triple notion suffit à l'homme. Elle m'a suffi. C'est la religion vraie. J'ai vécu en elle. Je meurs en elle. Vérité, lumière, justice, conscience, c'est Dieu. Deus, Dies.

Je donne quarante mille francs aux pauvres. Je désire être porté au cimetière dans le corbillard des pauvres.

Mes exécuteurs testamentaires sont MM. Jules Grévy, Léon Say, Léon Gambetta. Ils s'adjoindront qui ils voudront. Je donne tous mes manuscrits et tout ce qui sera trouvé écrit ou dessiné par moi à la Bibliothèque nationale de Paris, qui sera un jour la Bibliothèque des États-Unis d'Europe.

Je laisse une fille malade et deux petits-enfants. Que ma bénédiction soit sur tous.

Excepté les huit mille francs par an nécessaires à ma fille, tout ce qui m'appartient appartient à mes deux petits-enfants. Je note ici, comme devant être réservées, la rente annuelle et viagère que je donne à leur mère, Alice, et que j'élève à douze mille francs ; et la rente annuelle et viagère que je donne à la courageuse femme qui, lors du coup d'État, a sauvé ma vie au péril de la sienne et qui, ensuite, a sauvé la malle contenant mes manuscrits.

Je vais fermer l'œil terrestre ; mais l'œil spirituel restera ouvert, plus grand que jamais. Je repousse l'oraison de toutes les Églises. Je demande une prière à toutes les âmes.

Victor Hugo.

Victor Hugo sur son lit de mort.

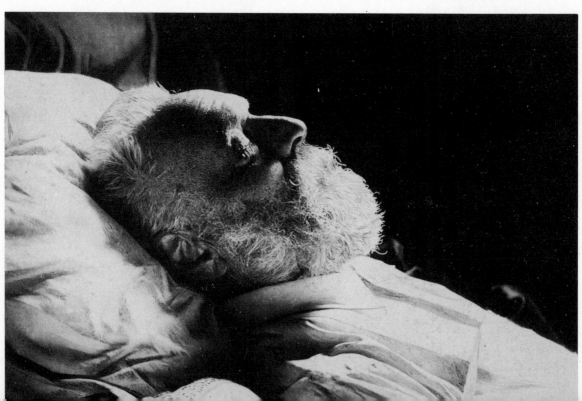

Signature de Victor Hugo.

Dans un bref codicille remis à Auguste Vacquerie le 2 août 1883, il exprimait les mêmes idées dans un style plus abrupt et plus hugolien : « Je donne cinquante mille francs aux pauvres. Je désire être porté au cimetière dans leur corbillard. Je refuse l'oraison de toutes les Églises; je demande une prière à toutes les âmes. Je crois en Dieu. — Victor Hugo. »

A son petit-fils, il disait : « L'amour... Cherche l'amour... Donne de la joie et prends-en, en aimant tant que tu le pourras. » Mais il savait qu'à son âge les plaisirs ni la gloire ne sont plus des refuges contre la mort. Pour lui, l'accident mortel fut, le 18 mai 1885, une congestion pulmonaire. Il sentit que c'était la fin et dit à Paul Meurice, en espagnol : « Elle sera la très bienvenue. » Il est beau que, dans cet ultime délire, il ait encore composé un vers parfait : « *C'est ici le combat du jour et de la nuit.* » Ce qui résume sa vie, et toutes les vies.

Sa mort.

Il mourut le 22 mai, en disant adieu à Georges et à Jeanne. Son dernier mot : « Je vois de la lumière noire » évoque l'un de ses plus beaux vers : « *Cet affreux soleil noir d'où rayonne la nuit.* » Son râle suprême, dit Georges Hugo, « rappela la rumeur des galets roulés par la mer ». Un « ouragan, tonnerre et grêle, se déchaîna sur Paris à l'heure où le vieux dieu agonisait ».

Dès la nouvelle de cette mort, le Sénat et la Chambre levèrent la séance en signe de deuil national. Il fut décidé que le Panthéon serait, pour lui, rendu à la destination que lui avait donnée l'Assemblée constituante; que l'inscription : *Aux grands hommes, la patrie reconnaissante,* serait rétablie sur le fronton, et que le corps de Victor Hugo y serait inhumé, après avoir été exposé sous l'Arc de Triomphe.

Ce que fut, dans la nuit du 31 mai, cette veillée de toute une grande ville, « il faut l'avoir vu », a écrit Barrès. « Il faut avoir vu le cercueil soulevé dans la nuit noire... tandis que les flammes vertes des lampadaires désolaient le portique impérial et se multipliaient aux cuirasses des cavaliers, porteurs

L'Arc de Triomphe de l'Étoile voilé de crêpe, le soir du 31 mai 1885. Le cercueil du poète y était exposé.

de torches, qui maintenaient la foule. Les flots, par remous immenses, depuis la place de la Concorde, venaient battre sur les chevaux épouvantés, jusqu'à deux cents mètres du catafalque, et déliraient d'admiration d'avoir fait un dieu... »

Un cortège funèbre et triomphal escorta Victor Hugo de l'Étoile au Panthéon. Deux millions de Français suivaient le cercueil. Les avenues où roulait ce flot humain étaient bordées de mâts portant des écussons sur lesquels on lisait : *Les Misérables, Les Feuilles d'Automne, Les Contemplations, Quatrevingt-Treize*. Dans les réverbères, allumés en plein jour et voilés de crêpe, une flamme pâle tremblait. Pour la première fois dans l'histoire des hommes, une nation rendait à un poète des honneurs que la coutume avait jusqu'alors réservés aux souverains et aux chefs militaires.

Le temps, qui ensevelit coteaux et collines, respecte les sommets. Au-dessus de l'océan d'oubli qui a englouti tant d'œuvres du XIXe siècle, l'archipel Hugo dresse fièrement ses hautes cimes couronnées de riches images. Les monuments qui sont les symboles des plus grands souvenirs de la France

Arrivée du cortège funèbre au Panthéon. ▶

demeurent liés, indissolublement, à tel ou tel vers de lui. Des tours de Notre-Dame, qui sont l'H de son nom, au dôme des Invalides, sous lequel frissonnent encore les drapeaux qu'agita son souffle, de l'Arc de Triomphe à la colonne Vendôme, Paris tout entier nous apparaît comme une ode à Victor Hugo, poème de pierre, dont les hauts lieux de notre histoire seraient les strophes.

Jamais un pays et une œuvre ne s'étaient entrelacés de plus étroite manière. Pendant plus d'un demi-siècle, nos luttes avaient eu en lui un témoin, nos murmures un écho, nos épopées un trouvère. De cette communauté antique et glorieuse, il avait sonné toutes les fêtes, tous les tocsins, tous les glas. « Aujourd'hui encore, a dit Léon-Paul Fargue, ses vers, ses cris, ses emportements, ses sourires travaillent dans le silence des bibliothèques et dans la pierre des tombeaux... »

TABLE CHRONOLOGIQUE

1802 26 février : Naissance de Victor Hugo à Besançon.

1803 novembre : Mme Léopold Hugo s'installe à Paris avec ses trois fils.

1807 octobre : Mme Hugo va rejoindre en Italie son mari, gouverneur de la province d'Avellino et colonel du Royal-Corse. Les enfants Hugo et leur mère traversent la France en diligence.

1809 février : Mme Hugo loue un appartement à Paris, 12, impasse des Feuillantines, au rez-de-chaussée de l'ancien couvent fondé par Anne d'Autriche.

1811 printemps : Mme Hugo et ses fils rejoignent le général Hugo à Bayonne pour l'accompagner en Espagne.

1814 septembre : Le général Hugo met ses fils, Eugène et Victor, en pension à Paris chez Cordier et Decotte, rue Sainte-Marguerite.

1818 3 février : Jugement de séparation des époux Hugo.

août : Eugène et Victor quittent la pension Cordier et Decotte pour habiter chez leur mère, 18, rue des Petits-Augustins.

1819 26 avril : Victor Hugo et Adèle Foucher se déclarent leur amour.

décembre : Les trois frères Hugo fondent une revue : *Le Conservateur littéraire*.

1820 En même temps qu'il écrit pour la revue cent douze articles et vingt-deux poèmes en seize mois, Victor Hugo commence son premier roman : *Han d'Islande*.

1821 janvier : Mme Hugo déménage et s'installe 10, rue de Mézières.

mars : *Le Conservateur littéraire* fusionne avec *Les Annales de la Littérature et des Arts*.

27 juin : Mort de Mme Hugo.

1822 juin : *Odes et Poésies diverses,* premier volume de Victor Hugo chez le libraire Pélicier, place du Palais-Royal; tirage : 1 500 exemplaires.

12 octobre : Mariage avec Adèle Foucher à Saint-Sulpice.

1823 *Han d'Islande,* première édition en 4 volumes, sans nom d'auteur.

16 juillet : Naissance de Léopold II Hugo.

9 octobre : mort du petit Léopold.

1824 13 mars : Victor Hugo publie ses *Nouvelles Odes.*

Les Hugo emménagent 90, rue de Vaugirard.

28 août : Naissance de Léopoldine Hugo.

1826 2 novembre : Naissance de Charles Hugo.

avril : Installation 11, rue Notre-Dame-des-Champs.

1827 janvier : Hugo fait la connaissance de Sainte-Beuve.

Cromwell.

février : *Le Dernier Jour d'un Condamné.*

1828 21 octobre : Naissance de Victor, qui deviendra en 1844 François-Victor Hugo.
1829 janvier : *Les Orientales*.
14 juillet : Le Théâtre-Français reçoit *Marion Delorme*.
5 octobre : Le Théâtre-Français reçoit *Hernani*, terminé le 25 septembre.
1830 25 février : Première d'*Hernani*.
mai : Installation 9, rue Jean-Goujon.
28 juillet : Naissance d'Adèle Hugo. Sainte-Beuve accepte d'être le parrain.
1831 janvier : Hugo termine *Notre-Dame de Paris,* écrit en six mois.
novembre : *Les Feuilles d'Automne*.
1832 octobre : Nouveau déménagement. Grand appartement 6, place Royale, au deuxième étage de l'hôtel de Guéménée (actuellement musée Victor-Hugo).
22 novembre : Première du *Roi s'amuse ;* la pièce est suspendue dès le lendemain.
1833 16 février : Début de la liaison avec Juliette Drouet.
Création de *Marie Tudor* à la Porte-Saint-Martin.
1834 juillet : *Claude Gueux*.
1835 *Angelo, tyran de Padoue,* à la Comédie-Française.
Juliette quitte le Théâtre-Français sans y avoir jamais joué.
1835 octobre : *Les Chants du Crépuscule*.
1836 février : Échec de Victor Hugo à l'Académie française.
1837 *Les Voix intérieures*.
octobre : Victor Hugo compose *Tristesse d'Olympio* au cours d'un pèlerinage solitaire dans la vallée de la Bièvre.
1838 Création de *Ruy Blas* dans un nouveau théâtre : la Renaissance, dont Hugo et Dumas ont confié la direction à Anténor Joly. Frédérick Lemaître joue Ruy Blas.
1840 *Les Rayons et les Ombres*.
1841 7 janvier : Élection à l'Académie française après sa cinquième candidature.
Le Rhin reçoit une conclusion politique.
1843 15 février : Léopoldine Hugo épouse Charles Vacquerie.
7 mars : Création des *Burgraves* à la Comédie-Française. Après l'échec de la pièce, Victor Hugo cesse d'écrire pour la scène.
4 septembre : Léopoldine et son mari se noient à Villequier.
1844 début : Liaison avec Léonie d'Aunet, femme du peintre Auguste Biard.
1845 13 avril : Une ordonnance élève à la pairie le vicomte Hugo (Victor-Marie).
5 juillet : A la requête d'Auguste Biard, Victor Hugo est surpris par le commissaire de police du quartier Vendôme « en conversation criminelle » avec Léonie d'Aunet, dans un discret appartement du passage Saint-Roch.
1848 avril : Il se présente aux élections après avoir fait afficher une *Lettre aux Électeurs*. Il n'est pas élu mais réunit tout de même 60 000 voix.
juin : Il est élu aux élections complémentaires avec l'appui des conservateurs.
juillet : Il fonde un journal : *L'Événement*.
13 octobre : La famille Hugo emménage dans un superbe hôtel, 37, rue de La Tour-d'Auvergne à Montmartre.
1849 fin octobre : *L'Événement* prend position contre le Prince-Président et conservera cette attitude.
1851 Hugo prend position contre le gouvernement et aussi contre la personne de Louis-Napoléon.
juillet : Les rédacteurs de *L'Événement* : François-Victor et Charles Hugo, Paul Meurice et Auguste Vacquerie sont emprisonnés. *L'Événement*, interdit, reparaît sous le titre *L'Avènement du Peuple*.
3-4 décembre : Juliette suit le poète sur les barricades.
11 décembre : Victor Hugo quitte Paris sous le nom de Lanvin (Jacques-Firmin).
14 décembre : Juliette le rejoint à Bruxelles.
1852 9 juin : Vente à la criée du mobilier et de la bibliothèque de la rue de La Tour-d'Auvergne dont Mme Hugo cède le bail.
25 juillet : Hugo écrit à sa femme de se rendre directement à Jersey.
1er août : Hugo quitte la Belgique en compagnie de Charles pour Saint-Hélier.
début août : *Napoléon le Petit*.
août : La famille s'installe à Marine Terrace, Saint-Hélier.
1852-1853 hiver : Victor Hugo compose *Les Châtiments*.
1853-1856 Il écrit *Les Contemplations, La Fin de Satan* et *Dieu*.
1855 31 octobre : Hugo quitte Jersey pour Guernesey en compagnie de François-Victor et de Juliette Drouet.
2 novembre : Charles rejoint son père.
1856 avril : Publication des *Contemplations*. Succès extraordinaire, la première édition est immédiatement épuisée.
10 mai : Victor Hugo achète Hauteville House, à Guernesey, avec l'argent des *Contemplations*.
1859 *La Légende des Siècles*.
1861 30 juin : Victor Hugo achève *Les Misérables*, qui paraîtront en 1862.
1864 *William Shakespeare*.
1865 *Les Chansons des rues et des bois*.
1866 *Les Travailleurs de la Mer*.

1867 Préface pour un *Paris-Guide* paru chez Lacroix à l'occasion de l'Exposition universelle.
Reprise d'*Hernani*.

1868 27 août : Mort d'Adèle Hugo.
Victor Hugo achève *L'Homme qui rit*.

1869 8 mai : Premier numéro du *Rappel*, fondé par l'ancienne équipe de *L'Événement* qui s'adjoint Henri Rochefort et Édouard Lockroy.
septembre : Victor Hugo va à Lausanne pour assister au Congrès de la Paix.

1870 15 août : Il s'embarque pour la Belgique avec Juliette, Charles, sa femme Alice et leurs enfants.
19 août : Il demande un passeport pour Paris à la chancellerie de l'ambassade de France à Bruxelles.
5 septembre : A la gare de Bruxelles, il prend le train pour Paris.

1871 février : Il est élu à l'Assemblée nationale qui siégera à Bordeaux.
13 février : Il part pour Bordeaux.
13 mars : Mort de Charles à Bordeaux.
17 mars : Retour à Paris.
fin mars : Victor Hugo part pour Bruxelles régler la succession de Charles. Bientôt expulsé de Belgique, il s'installe au Luxembourg.
fin septembre : Retour à Paris.

1872 janvier : Il est battu aux élections.
20 février : Reprise de *Ruy Blas* à l'Odéon avec Sarah Bernhardt dans le rôle de la Reine.

7 août : Départ pour Guernesey.

1873 28 avril : Publication de *L'Année terrible*.
Quatrevingt-Treize est achevé.
31 juillet : Retour de Hugo et de Juliette en France. Le poète habite chez son fils, avenue des Sycomores, à Auteuil.
26 décembre : Mort de François-Victor Hugo.

1874 29 avril : La famille s'installe 21, rue de Clichy.

1876 janvier : Victor Hugo est élu au Sénat sur la proposition de Clemenceau.

1877 *L'Art d'être Grand-Père*, *La Légende des Siècles*, « Nouvelle Série ».
L'Histoire d'un Crime.

1878 4 juillet : Départ pour Guernesey.
9 novembre : Retour à Paris. Hugo et Juliette s'installent 130, avenue d'Eylau.

1879 *La Pitié suprême*.

1880 *Religions et Religion*.
L'Ane.

1881 26 février : L'entrée de Victor Hugo dans sa quatre-vingtième année est célébrée comme une fête nationale.
Les Quatre Vents de l'Esprit.

1882 *Torquemada*.
22 novembre : Reprise du *Roi s'amuse* au Théâtre-Français.

1883 11 mai : Mort de Juliette Drouet.
La dernière *Légende des Siècles*.

1885 22 mai : Mort de Victor Hugo.
1er juin : Le corps du poète, après avoir été exposé sous l'Arc de Triomphe, est inhumé au Panthéon.

TABLE DES ILLUSTRATIONS

Frontispice. Ce portrait de Victor Hugo est une lithographie d'après un dessin de Maurin fait en 1829. *Photo Hachette.*

6 JOSEPH-LÉOPOLD-SIGISBERT HUGO, le père de Victor Hugo, général d'Empire, écrivait des madrigaux, des chansons, des lettres à la Ronsard et aussi des romans bizarres, noirs comme de l'encre et semés de catastrophes. Ce soldat brave, gai, à la conversation agréable, était sujet à des humeurs sombres.
Mme la générale Hugo (Sophie, Françoise Trébuchet), mère de l'écrivain, née en 1772, était la fille d'un capitaine de navire nantais. En 1793, elle était devenue ardente vendéenne, ce qui ne l'empêcha pas d'épouser le major Léopold Hugo, capitaine à l'armée des Bleus. Pourtant, elle demeura toute sa vie irréductiblement royaliste.

7 MADAME TRÉBUCHET, née Lenormand du Buisson, grand-mère maternelle de Victor Hugo, était la fille d'un procureur au présidial de Nantes qui avait accepté d'être membre du Tribunal révolutionnaire. *Photo Bulloz.*

8 EN 1802, l'année de la naissance de Victor Hugo, le quai de Battant devait avoir le même aspect que sur cette gravure, mais le poète ne conserva pas de souvenirs de sa ville natale. Six semaines après sa naissance, son père reçut l'ordre de quitter Besançon pour se rendre à Marseille. *Photo Hachette.*

9 LE 26 FÉVRIER 1802, Victor Hugo naquit dans cette vieille maison du XVIIᵉ siècle. Son père était alors chef de bataillon de la 20ᵉ demi-brigade à Besançon. *Photo Hurault-Viollet.*

10 EUGÈNE HUGO, frère du poète, né le 16 septembre 1800. Il écrivait, lui aussi, et devint - lui aussi - plus tard, amoureux d'Adèle Foucher. Sujet à des crises de dépression, désespéré à la mort de sa mère, il devint fou après le mariage de Victor. Il mourut le 5 mars 1837 à l'asile de Saint-Maurice à Charenton.
Abel, l'aîné des trois frères Hugo, né en 1798, prit très à cœur son rôle et fut pour le poète d'une grande aide. Il avait beaucoup de générosité et se montra soucieux de la gloire de son frère. *Photo Giraudon.*

12 VICTOR HUGO à dix-sept ans, d'après une miniature de Legénisel. A cet âge, Adèle Foucher et Victor s'avouèrent leur mutuel amour et une correspondance s'établit entre eux. A la même époque, Victor publia, grâce à Abel, une *Ode sur les Destins de la Vendée*, dédiée à Chateaubriand. *Photo Hachette.*

13 L'ERMITAGE DES FEUILLANTINES, où, en février 1809, Mme Hugo trouva à se loger dans un vaste appartement du rez-de-chaussée. Le salon était presque seigneurial, le jardin immense. Par-dessus les murs de cet ancien couvent fondé par Anne d'Autriche, on voyait le Val-de-Grâce. Là, Victor Hugo apprit à connaître la nature. *Photo Roger-Viollet.*

14 EN 1811, Mme Hugo emmena ses enfants rejoindre leur père en Espagne. Au printemps, dans un carrosse semblable à celui-ci, ils parcoururent les routes d'Espagne et le petit Victor devait conserver un grand souvenir de ce voyage où la générale Hugo, comtesse de Siguenza, voyageait entourée de respect. *Photo Hachette.*

15 JOSEPH BONAPARTE, homme de lettres, changé par un illustre frère en homme de guerre, appréciait l'intelligence de Mme Hugo et était tout prêt à aider le commandant. Il le nomma d'abord gouverneur de la province d'Avellino. Plus tard, promu roi d'Espagne et des Indes après avoir été roi de Naples, il appela Hugo à Madrid où Léopold-Sigisbert devint général. *Photo Hachette.*

17 EN SEPTEMBRE 1814, le général Hugo mit ses fils en pension à Paris, rue Sainte-Marguerite, rue proche de la cour du Dragon, chez Cordier et Decotte. Ce fut la fin de l'enfance. Ils étaient séparés de leur mère, qui restait leur idole. Ils demeurèrent en pension jusqu'en août 1818. Dès 1817, Victor Hugo avait déjà reçu une mention de l'Académie française pour des vers envoyés à un concours de poésie. *Photo Bulloz.*

19 ADÈLE FOUCHER avait été la compagne de jeux dans le jardin des Feuillantines. Plus tard Victor remarqua son « air d'infante » et s'éprit d'elle. Leurs amours demeurèrent chastes jusqu'à leur mariage, béni à Saint-Sulpice le 12 octobre 1822, un an après la mort de Mme Hugo. *Photo Hachette.*
Pierre Foucher, fils d'un cordonnier de Nantes ami des Trébuchet, était un ami d'enfance de Sophie Hugo. Il devint le meilleur ami du ménage. Greffier du tribunal, il épousa Anne-Victoire Asseline dont il eut quatre enfants. Adèle était l'aînée des filles. *Photo Hachette.*

21 ODES ET POÉSIES DIVERSES est le premier livre publié par Victor Hugo. Sous une couverture gris-vert, le volume, tiré à 1 500 exemplaires, vit le jour en juin 1822, grâce une fois de plus à la générosité d'Abel. *Photo Hachette.*
ÉTHEL ET ORDENER sont les deux héros de

Han d'Islande, premier roman où Victor Hugo exprimait son amour pour Adèle. Commencé plusieurs années avant son mariage, *Han d'Islande* ne fut publié qu'en 1823, en quatre volumes et sans nom d'auteur. *Photo Hachette.*

22 VICTOR HUGO A VINGT ANS, d'après un portrait au crayon attribué à Moitez. Dans la période qui sépara la mort de sa mère de son mariage, le jeune homme vécut dans une mansarde de la rue du Dragon, mais il gardait dans cette misère une dignité souveraine. *Photo Hachette.*

23 LA MAISON LOUÉE PAR LES FOUCHER à Gentilly l'été 1822 et où Victor, désormais fiancé agréé, fut invité. Mais pour respecter les convenances, il logeait dans le colombier. Il goûta délicieusement le « bonheur de Gentilly ». *Photo Giraudon.*

24 CES MÉDAILLONS FURENT EXÉCUTÉS PAR DAVID D'ANGERS quelques années après le mariage de Victor Hugo et d'Adèle Foucher. Les Foucher s'étaient montrés pleins de compréhension, offrant de garder le jeune ménage près d'eux à l'hôtel de Toulouse jusqu'au moment où Adèle et Victor pourraient s'installer dans un appartement. *Photo Hachette.*

25 A LA PENSION CORDIER ET DECOTTE où furent placés les fils Hugo après la séparation de leurs parents, Victor Hugo occupait un grenier. Dès la fin de 1816, tout en préparant Polytechnique et en suivant les cours du lycée Louis-le-Grand, il écrivait des vers. Il voyait de sa fenêtre le télégraphe Chappe installé sur les tours de Saint-Sulpice. *Photo Hachette.*

27 LA MAISON DU GÉNÉRAL HUGO A BLOIS, où fut installé avec sa nourrice le premier fils de Victor et d'Adèle, Léopold, né le 16 juillet 1823 et qui devait mourir le 9 octobre de la même année. En avril 1825, Victor Hugo fit avec Adèle un séjour dans cette maison. C'est durant ce séjour qu'il apprit qu'il venait d'être fait chevalier de la Légion d'honneur et qu'il reçut l'invitation pour le sacre de Charles X. *Photo Hachette.*

29 DEVÉRIA A DESSINÉ MADAME VICTOR HUGO tenant sur ses genoux Léopoldine. La première fille du poète, qui allait devenir si chère à son cœur, naquit le 28 août 1824 dans le petit appartement du 90, rue de Vaugirard. *Photo Hachette.*

30 CE DESSIN A LA PLUME, VICTOR HUGO L'A INTITULÉ « LE RÊVE ». Il fait partie d'une grande série de dessins dans laquelle l'écrivain livre aussi bien ses obsessions, ses angoisses, les phantasmes de son subconscient que des notations précises, des croquis d'impressions de voyage. *Photo Hachette.*

FRONTISPICE DE L'ÉDITION DE 1860 DES « ORIENTALES ». « Clair de Lune », gravé par C. Cousin. Victor Hugo avait le sens du drame, tentant de faire de chaque pièce du recueil une scène vivante, s'inspirant, pour le pittoresque, de la Bible, lue et relue aux Feuillantines, des conseils d'un orientaliste et surtout de ses souvenirs d'Espagne. *Photo Hachette.*

31 PAGE MANUSCRITE DES « ODES ET BALLADES ». Quand ces poèmes furent publiés en 1826, Victor Hugo eut la joie de découvrir dans *Le Globe*, un journal sévère et important, une longue étude élogieuse de Sainte-Beuve. Goethe lui-même ne se méprit pas sur le ton de l'article et le succès auprès des jeunes fut très grand. *Photo Hachette.*

33 TALMA, le célèbre acteur, n'interpréta aucune des pièces de Victor Hugo, mais au cours d'un déjeuner, en 1826, le jeune écrivain lui exposa ses conceptions théâtrales, comment il voulait substituer le drame à la tragédie. Talma fut fort intéressé par son *Cromwell*, mais il mourut peu après. *Photo Hachette.*

34 SAINTE-BEUVE devint rapidement l'ami du poète. Pour la première fois de sa vie, grâce à son intimité avec les Hugo, Sainte-Beuve se sentait enfin arraché à cette solitaire et stérile méditation sur soi-même qui le caractérisait. *Photo Hachette.*

35 11, RUE NOTRE-DAME-DES-CHAMPS s'élevait la maison où le ménage Hugo s'installa en 1826. La porte cochère mettait le poète à portée des barrières du Maine, de Montparnasse et de Vaugirard, tandis qu'une sortie au fond du jardin permettait de gagner le Luxembourg. Hugo aima beaucoup cette maison et ce quartier. *Photo Giraudon.*

36 PAUL FOUCHER, beau-frère de Victor Hugo, faisait partie de la bande d'artistes et de poètes qui entourait le jeune ménage à Vaugirard. C'est sous son nom qu'en 1828 Victor Hugo fit jouer à l'Odéon *Amy Robsart,* une pièce qu'il avait tirée du roman de Walter Scott, *Kenilworth. Photo Hachette.*

37 CE PORTRAIT D'EUGÈNE DEVÉRIA EST DÛ A SON FRÈRE ACHILLE. Tous deux voisins de Vaugirard, ils faisaient également partie de l'entourage des Hugo. Ils étaient de toutes les sorties, aux dîners dans les guinguettes. *Photo Hachette.*

David d'Angers était déjà un sculpteur célèbre quand il devint un familier du poète. Hugo à cette époque s'entretenait avec ses amis autant de peinture et d'art que de poésie. *Photo Hachette.*

38 ACHILLE DEVÉRIA, auteur du portrait d'Eugène et de celui de Mme Hugo avec la petite Léopoldine, était un des plus grands illustrateurs de l'époque romantique. *Photo Hachette.*

39 BUG-JARGAL, une longue nouvelle, composée en trois semaines pendant les vacances de 1817, sur la révolte de Saint-Domingue, fut réimprimée par l'éditeur Gosselin. Le frontispice de *Bug-Jargal* par Devéria est de 1826. *Photo Roger-Viollet.*

40 AU FOYER DE LA COMÉDIE-FRANÇAISE, devant les sociétaires réunis, ont lieu les lectures de pièces. C'est ainsi que, le 14 juillet 1829, *Marion Delorme* fut reçue par acclamations. Le public s'était pris de goût pour le mélodrame et la Comédie-Française souhaitait en monter. Pourtant, la censure interdit *Marion. Photo Hachette.*

41 ALFRED DE VIGNY ET VICTOR HUGO étaient amis depuis 1820; Vigny fut le témoin du poète à son mariage. Trois jours après la réception de *Marion Delorme* à la Comédie-Française, Vigny lut son *More de Venise* qui fut accepté avec le même enthousiasme. *Photo Hachette.*

42 LA VÉRITABLE HÉROÏNE DU ROMAN DE HUGO, C'EST « L'IMMENSE ÉGLISE DE NOTRE-DAME qui semblait un énorme sphinx à deux têtes assis au milieu de la ville ». Le poète connaissait à fond la cathédrale. Il voulait que tout fût historiquement exact : le décor, les êtres, le langage. *Photo Bulloz.*

44 A LA PREMIÈRE D'«HERNANI», THÉOPHILE GAUTIER, en pourpoint rose, commandait les chevaliers hernaniens. Le « bon Théo » fut, à partir d'*Hernani*, un ami fidèle auquel Adèle, qui assurait les « relations extérieures », avait souvent recours. *Photo Hachette.*

45 LE SOIR DE LA PREMIÈRE REPRÉSENTATION D'«HERNANI», partisans fougueux et spectateurs hostiles s'opposèrent avec véhémence. En attendant de se battre sur les barricades, libéraux et royalistes, romantiques et classiques s'affrontaient au théâtre. *Photo Roger-Viollet.*

46 CHARLES HUGO, né en novembre 1826, de deux ans plus jeune que Léopoldine, était l'aîné des fils de Victor Hugo. Adolescent, il devint lui-même un héros de drame hugolien puis se lança dans la politique, fit de la prison avant de s'exiler avec son père à Bruxelles. Il épousa Alice Lehaene plus tard Mme Lockroy et mourut brusquement en mars 1871 à Bordeaux. *Photo Hachette.*

47 FRANÇOIS-VICTOR HUGO, né en octobre 1828, fit, comme son frère, du journalisme politique. Il fut lui aussi condamné et libéré en janvier 1852 sur l'intervention du prince Napoléon. En exil, il entreprit de traduire l'œuvre de Shakespeare. Il ne se maria jamais et mourut en 1873. *Photo Hachette.*

ADÈLE, née le 27 juillet 1830, ressemblait à sa mère. Elle avait l'âme rêveuse et mélancolique. Elle souffrit de l'exil, ne pouvant pas trouver dans la solitude un équilibre intérieur. Elle mourut en 1915. Ces trois dessins des derniers enfants Hugo sont l'œuvre de leur mère. *Photo Hachette.*

48 C'est en 1829 que Victor Hugo commença *Notre-Dame de Paris*. L'éditeur Gosselin avait un contrat lui promettant le roman pour cette année-là et il se montrait intraitable. La révolution de Juillet fit obtenir à l'écrivain un sursis jusqu'en février 1831 et Hugo termina *Notre-Dame de Paris* en janvier 1831. Il avait composé ce long roman en six mois. *Photo Hachette.*

49 LES PERSONNAGES DE « NOTRE-DAME DE PARIS » étaient proches du cœur du poète par leurs traits de caractère accusés, leurs destins hors du commun. Leur étrangeté « gothique » était bien dans le goût romantique, mais ils conservent aujourd'hui encore leur popularité. Quasimodo, le nain difforme, victime de la fatalité, Esmeralda, gracieuse vision plutôt que femme, toujours accompagnée de sa chèvre familière, sont parmi les héros principaux de la grande fresque; il y a aussi Gringoire le poète. *Photo Hachette.*

50 LES FEUILLES D'AUTOMNE parurent en novembre 1831. Hugo voulait sentir comme tout le monde et exprimer mieux que tout le monde. Il y réussit: la mélancolie résignée dont est imprégné tout le recueil surprit et toucha. On trouvait dans *Les Feuilles d'Automne* les plus beaux poèmes écrits sur les enfants, sur la charité, sur la famille.

51 DANS «LE ROI S'AMUSE», Victor Hugo traitait d'un des problèmes qui lui tenaient le plus au cœur : l'injustice. Il avait eu l'idée de son drame à Blois. Triboulet, fou du roi François Ier, était né près de la maison du général Hugo. L'intrigue était un tissu de coïncidences invraisemblables relevé par un sens vif des effets dramatiques et, çà et là, par la verve comique. *Photo Hachette.*

52 LES HUGO EMMÉNAGÈRENT EN OCTOBRE 1832 au deuxième étage de cette noble maison de la place Royale (aujourd'hui place des Vosges). Les pièces étaient immenses, tapissées de damas rouge, remplies de meubles gothiques ou Renaissance. Elles avaient grand air. Hugo avait alors neuf personnes à sa charge; en outre, il payait une pension pour améliorer le sort d'Eugène, et sa plume, seule, devait soutenir ce train. *Photo Hachette.*

53 CE DESSIN DE CÉLESTIN NANTEUIL représente Victor Hugo l'année où il s'installa place Royale. Il n'avait que trente ans mais son visage était marqué par les épreuves déjà traversées. Les amis s'étaient éloignés avec le succès et les ennemis foisonnaient. Sainte-Beuve avait trahi sa confiance et écrivait sur son aventure avec Adèle un roman : *Volupté,* tout en colorant ses amours adultères d'un vague mysticisme. Victor Hugo avait le cœur vide et triste.

55 MADEMOISELLE GEORGE, transfuge de la Comédie-Française, auréolée de souvenirs impériaux (elle avait été la maîtresse de Napoléon), demeurait à près de cinquante ans avide de rôles d'amoureuse. Elle jouait alors à la Porte-Saint-Martin et allait bientôt interpréter la *Lucrèce Borgia* de Victor Hugo. *Archives photographiques.*

CE COSTUME FUT DESSINÉ POUR JULIETTE DROUET qui interprétait la princesse Negroni lors de la création de *Lucrèce Borgia* de Victor Hugo. L'actrice avait vingt-six ans et était d'une éclatante beauté. *Photo Hachette.*

57 CETTE GRAVURE DE 1833 REPRÉSENTANT « LES ARTISTES CONTEMPORAINS » groupe Chateaubriand, Casimir Delavigne, Victor Hugo, Béranger, Alexandre Dumas, Lemercier, Lamartine, Étienne; mélange étonnant de générations et de valeurs. *Photo Bulloz.*

58 EN 1837, LORSQUE LOUIS BOULANGER fit ce dessin au crayon de Léopoldine, la petite fille avait treize ans. Elle vouait à son père une grande admiration et un tendre amour. *Photo Giraudon.*

59 JULIETTE DROUET, quand elle connut le poète, désirait, depuis l'adolescence, devenir « la compagne passionnée d'un honnête homme ». Hugo cachait une secrète et cuisante douleur. Juliette le comprit et elle ne vécut que pour lui, acceptant l'existence la plus difficile. *Photo Hachette.*

60 LE DUC D'ORLÉANS, héritier du trône, espoir de tous ceux qui souhaitaient une politique libérale, épousa, en 1837, la princesse Hélène de Mecklembourg. Victor Hugo, qui entretenait avec le prince de meilleures relations qu'avec Louis-Philippe, fut invité au banquet de mariage de quinze cents couverts. Il était le poète préféré de la jeune duchesse d'Orléans qui avait, dès seize ans, suivi avec passion la vie littéraire de la France. *Photo Ellis.*

61 A LA CRÉATION DE « RUY BLAS », au théâtre de la Renaissance, Ruy Blas était interprété par Frédérick Lemaître, Don Salluste par Mauzin, tandis que Mlle Baudoin, maî-

tresse de Frédérick Lemaître, se vit attribuer le rôle de la Reine que Victor Hugo voulait donner à Juliette Drouet. Une démarche secrète d'Adèle Hugo, jalouse, auprès du directeur du théâtre, avait fait échouer le projet et Juliette en souffrit. *Photo Hachette.*

62 SUR CETTE GRAVURE DE GRANVILLE INTITULÉE « GRANDE COURSE AU CLOCHER ACADÉMIQUE », Victor Hugo, coiffé de Notre-Dame de Paris et entouré de ses « enfants de chœur », parmi lesquels son beau-frère Paul Foucher, Petrus Borel et Arsène Houssaye, est représenté avec Vigny, Alexandre Dumas et Balzac, autres concurrents. *Photo Giraudon.*

63 LA RÉCEPTION DE VICTOR HUGO A L'ACADÉMIE FRANÇAISE eut lieu le 7 janvier 1841, après cinq échecs. Le discours du récipiendaire surprit, car Victor Hugo ne dissimulait plus ses ambitions politiques. *Photo Hachette.*

64 VICTOR HUGO fit représenter *Les Burgraves* en 1843; il espérait une autre « bataille d'*Hernani* », mais il n'y avait plus de jeunesse romantique et la grandiloquence ennuyait le public louis-philippard. A la dixième représentation, les recettes tombèrent à 1 666 F, cependant que Rachel, interprète de Racine, «faisait» 5 500 F tous les soirs. Et pour accompagner cette caricature de Daumier, *Le Charivari* publia ce quatrain :

> Hugo lorgnant les voûtes bleues
> Au Seigneur demande tout bas
> Pourquoi les astres ont des queues
> Quand les Burgraves n'en ont pas.
> *Photo Giraudon.*

65 CE DESSIN DU BURG A LA CROIX est l'un de ceux qui illustraient le Journal envoyé chaque soir à Adèle au cours des trois voyages de Victor Hugo sur le Rhin en 1838, 1839 et 1840. Il éprouvait le désir de comprendre et d'exprimer la poésie allemande. Il écrivait lui-même avoir « presque un sentiment filial pour cette noble et sainte patrie de tous les penseurs ». *Photo Hachette.*

66 LE 15 FÉVRIER 1843, Léopoldine Hugo épousa Charles Vacquerie, fils d'un armateur du Havre qui avait fait construire à Villequier une grande maison de famille au bord de la Seine. Les jeunes gens avaient ébauché leur projet de mariage dès 1839. Malgré l'amitié qu'il éprouvait pour son futur gendre, Victor Hugo ne cessait d'avoir de sombres pressentiments au moment du mariage. *Photo Hachette.*

68 DANS LE PETIT CIMETIÈRE VOISIN DE L'ÉGLISE DE VILLEQUIER, Charles et Léopoldine sont

enterrés tous les deux dans le même cercueil. Les jeunes mariés se noyèrent à Villequier le 4 septembre 1843, dans un bateau avec lequel Charles avait gagné un premier prix aux régates d'Honfleur. *Photo Giraudon.*

69 LA MORT DE LÉOPOLDINE fut pour Victor Hugo un immense chagrin. Souvent, il allait à Villequier sur la tombe plantée de rosiers. Pendant des années il écrivit chaque 4 septembre un poème anniversaire toujours beau dans sa simplicité tragique. *Photo Roger-Viollet.*

70 LÉONIE D'AUNET avait épousé en 1840 un peintre, Auguste Biard, qui la maltraitait. Chez Victor Hugo, la pitié aiguisait le désir. En 1844, lui-même accablé par son deuil, il s'éprit de Léonie. Il lui envoya des lettres passionnées, toutes semblables à celles qu'il écrivait naguère à Juliette. *Photo Hachette.*

72 APRÈS LA RÉVOLUTION DE FÉVRIER 1848, Victor Hugo fut élu à l'Assemblée nationale, il fonda en juillet de la même année un journal, *L'Événement,* pour agir sur l'opinion publique. A la Chambre comme dans son journal, le poète s'employa activement, dès la fin d'octobre 1848, à écarter les obstacles qui auraient pu barrer le chemin de la présidence au prince Louis-Napoléon. *Photo Hachette.*

74 CETTE AFFICHE DE VICTOR HUGO fut apposée sur les murs de la capitale pendant la campagne pour les élections complémentaires de juin 1848 auxquelles le poète devait être élu. Elle faisait suite à la *Lettre aux Electeurs* affichée lors des élections d'avril où Victor Hugo n'avait pas fait acte de candidature mais où il avait tout de même recueilli 60 000 voix. *Photo Hachette.*

75 LE 2 DÉCEMBRE 1851, le prince Louis-Napoléon, violant la Constitution, fit son coup d'État. Hugo était alors dans l'opposition, depuis octobre 1849. Fidèle à soi-même, il s'était désolidarisé de la politique du Prince-Président. Au moment du coup d'État, il participa activement au soulèvement et la courageuse Juliette le suivit à travers l'émeute. *Photo Bibliothèque Nationale.*

77 LE PRINCE LOUIS-NAPOLÉON, avec une froide méthode, poursuivit ses desseins à partir de 1848. Objectif : rester au pouvoir. Tactique : se rendre maître de l'armée et de la police et pendant cette opération, pour calmer la majorité, feindre de défendre la politique de celle-ci. *Photo Hachette.*

79 DÈS JUILLET 1851, François-Victor Hugo, Paul Meurice, Auguste Vacquerie, rédacteurs de *L'Événement,* avaient rejoint Charles Hugo en prison à la Conciergerie. Victor Hugo était lui-même menacé, on vint à son domicile pour l'arrêter le jour du coup d'État. Pourtant, pendant l'émeute, Mme Hugo, malade et alitée, ne cessa de communiquer avec ses prisonniers à la Conciergerie. *Photo Hachette.*

81 APRÈS LE COUP D'ÉTAT, il fallait s'exiler; le 11 décembre 1851, Victor Hugo quitta Paris. Après quelques jours passés à l'hôtel, à Bruxelles, il loue 16, Grand-Place, une chambre presque nue, contenant un canapé de crin, une table, un miroir, un poêle en fonte et six chaises. Il vit là pour 100 F par mois et ne fait qu'un repas par jour. *Photo Roger-Viollet.*

82 LE 1er AOUT 1852, Victor Hugo, après avoir présidé un banquet de proscrits, quitta la Belgique en compagnie de Charles pour Jersey. L'île était un parc d'un vert vif, semé de maisons proprettes, avec la mer au bas de hautes falaises, comme celles qui entourent la grève du Lançon. *Photo Hachette.*

83 MARINE TERRACE fut la première maison occupée par Victor Hugo pendant son exil à Jersey, où Mme Hugo l'avait rejoint avec leur fille Adèle et Auguste Vacquerie. Juliette était leur voisine. Elle habitait un petit appartement dans un cottage qui portait le nom pompeux de *Nelson Hall. Photo Hachette.*

COMME BEAUCOUP DE MAISONS DE L'ILE, *Marine Terrace* possédait une serre dans laquelle on pouvait s'installer pour lire ou faire la conversation. *Photo Hachette.*

85 DANS LE MONDE ENTIER, UN MILLION D'EXEMPLAIRES DE « NAPOLÉON LE PETIT » CIRCULAIENT. Il fallait continuer, mais en vers. Tout l'automne 1852, l'indignation inspira à Victor Hugo des vers admirables. *Les Châtiments* furent publiés en 1853. Cette illustration est tirée de l'édition J. Hetzel de 1872. *Photo Hachette.*

86 VICTOR HUGO ASSIS AU SOMMET DU ROCHER DES PROSCRITS paraît l'illustration même de ce cri qui lui sortit un jour du cœur : « Oh ! n'exilez personne, oh ! l'exil est impie ! » Cent fois le motif de la proscription, tantôt mélancolique, tantôt triomphal, avait dominé sa vie. *Photo Hachette.*

87 FIN OCTOBRE 1855, après l'alliance de la reine d'Angleterre avec Napoléon III contre la Russie, Hugo dut quitter Jersey pour Guernesey. La famille habita la capitale de l'île, Saint-Pierre Port, et loua, 20, rue d'Hauteville, à la pointe d'un rocher, une maison au mois.

88 AUGUSTE VACQUERIE, le beau-frère de Léopoldine, fidèle compagnon de Mme Hugo qui l'avait soigné en 1836 alors qu'il était seul et malade, étudiant à Paris, accompagna la famille en exil. Il est photographié en compagnie de Victor Hugo à Guernesey. *Photo Hachette.*

89 EN 1856 PARUT UN VOLUME DE VERS, « LES CONTEMPLATIONS », dont le succès fut extraordinaire. Avec les 20 000 F de droits envoyés par l'éditeur, Hugo s'acheta une maison, *Hauteville House.* Il y avait peu d'espoir de changements rapides en France et l'écrivain ne souhaitait pas quitter Guernesey où il travaillait bien et se portait à merveille. *Photo Lévy.*

90 A HAUTEVILLE HOUSE, les Hugo organisaient à dates fixes des repas pour les enfants pauvres de l'île. Mme Hugo est à droite sur la photographie. A gauche, Paul Chenay, le graveur qui avait épousé Julie Foucher, jeune sœur de Mme Hugo, Hennet de Kesler, un proscrit, et Victor Hugo. *Photo Hachette.*

91 LES DEUX FILS DE VICTOR HUGO, Charles et François-Victor, partageaient l'exil paternel. En 1859, ils accompagnèrent leur mère et leur sœur Adèle en Angleterre. Puis, en 1862, Charles rentra à Paris sans prévenir son père. François-Victor, qui travaillait courageusement à sa traduction de Shakespeare, s'ennuyait moins que les autres mais il était fiancé à une jeune fille de l'île, Emily de Putron, qui, phtisique, mourut en janvier 1865. Après ce deuil, il quitta l'île. *Photo Hachette.*

VICTOR HUGO AVAIT FAIT SA DEMEURE DE HAUTEVILLE HOUSE et son mobilier à son image. Tout un ensemble de boiseries, de coffres, de colonnes, de meubles lourds aux sculptures gothiques donnait l'impression d'entrer dans une gravure de Rembrandt. Un clinquant grandiose, romantique comme le maître de maison. *Photo Lévy.*

92 DANS « LA LÉGENDE DES SIÈCLES », Victor Hugo voulait « exprimer l'humanité dans une espèce d'œuvre cyclique ». Le recueil publié à Paris força l'admiration des plus rebelles. *Photo Hachette.*

93 LE POÈME DE « LA LÉGENDE DES SIÈCLES » *Après la Bataille* avait pour héros le général Hugo, père du poète, que le peintre Mélingue a représenté pour illustrer l'œuvre célèbre. *Photo Encyclopédie par l'Image.*
Ce dessin, qui orne la page de dédicace de l'exemplaire de *La Légende des Siècles* destiné à Paul Meurice, fut fait le 1er janvier 1860 par Victor Hugo à *Hauteville House. Photo Hachette.*

94 A CINQUANTE-NEUF ANS, Victor Hugo a déjà cet aspect broussailleux d'aïeul universel qui sera le sien dans l'histoire. Depuis un mal de gorge tenace qu'il a pris pour une phtisie laryngée, il a laissé pousser sa barbe et elle est blanche. *Photo Hachette.* Mme Victor Hugo s'éloignait le plus souvent possible de Guernesey. En 1861, elle quitta *Hauteville House* de mars à décembre ; en 1862 et 1863, son calendrier est à peu près le même. Après le mariage de son fils Charles, elle resta deux ans à Bruxelles, de 1865 à 1867. *Photo Pierre Petit.*

96 LES MISÉRABLES parurent en juillet 1862, le manuscrit avait été achevé une année plus tôt. Victor Hugo avait le goût de l'excessif, du théâtral, du géant, et, dans cette œuvre, ces excès se trouvaient justifiés par des sentiments nobles et vrais. Il respectait avec horreur mais authentiquement Javert, il aimait authentiquement Jean Valjean. Ses personnages sont des êtres humains hors série ; seulement, en art, ce sont les monstres qui durent lorsqu'ils sont de beaux monstres. *Photo Hachette.*

97 VICTOR HUGO FIT A L'ENCRE DE CHINE CE DESSIN DE GAVROCHE A ONZE ANS. Sainte-Beuve, qui ne parlait pas toujours des chefs-d'œuvre, se garda d'écrire un article mais nota dans le secret de ses Carnets qu'au moment où tous ceux de sa génération étaient devenus des vieillards, Victor Hugo venait de donner une preuve éclatante de jeunesse. *Photo Hachette.*

98 DANS LE LONG ROMAN DES « TRAVAILLEURS DE LA MER » publié en 1866, les rochers et les monstres étaient peints d'après nature. Quant aux héros, Gilliatt et Déruchette, ils appartenaient à la particulière mythologie de l'auteur. Il y avait aussi des contrebandiers d'opérette et des traîtres de mélodrame. Le roman mit la pieuvre à la mode. *Photo Roger-Viollet.*

99 PENDANT TOUT SON SÉJOUR AUX ILES, Victor Hugo nota des catastrophes dont l'océan se rendait coupable. Il avait utilisé dans son roman *Les Travailleurs de la Mer* les connaissances qu'il avait acquises par sa vie dans l'archipel.

101 POUR L'EXPOSITION UNIVERSELLE DE 1867, une reprise d'*Hernani* fut décidée à Paris. Le succès fut immense : triomphe littéraire, manifestation politique, recettes maxima (sept mille francs-or). Mme Hugo, bien que très malade, avait tenu à assister à la répétition générale. *Photo Hachette.*

103 VICTOR HUGO ÉTAIT A BRUXELLES pour régler la succession de son fils Charles, qui venait de mourir, quand éclata la Commune dont il n'approuvait pas les excès, mais il

suppliait que le gouvernement de Versailles ne répondît pas à la violence par la cruauté. Les Versaillais entrèrent dans Paris le 21 mai 1871 ; le 23, cette affiche fut apposée sur les murs. La répression fut très dure. *Photo Hachette.*

104 VICTOR HUGO RENTRA D'EXIL le 5 septembre 1870, l'empereur venait de capituler. Du train qui le ramenait de Bruxelles, il vit les premiers soldats français harassés, découragés, qui faisaient partie de l'armée battant en retraite. Le vieillard pleura. Il écrivit dès son arrivée un *Appel aux Allemands* dont il attendait beaucoup, mais la guerre se rapprochait, bientôt Paris fut assiégé et l'on vit des canons à Montmartre. *Photo Bulloz.*

105 PENDANT LE SIÈGE la famine fut grande. Les Parisiens mangèrent du chien, du chat, des rats qu'ils pouvaient acheter chez les bouchers ou les marchands de volailles dépourvus d'autres denrées. *Photo Hachette.*

107 L'ARMISTICE FUT SIGNÉ LE 29 JANVIER 1871 et une Assemblée nationale élue pour faire la paix. Elle devait siéger à Bordeaux. Victor Hugo fut candidat dans la Seine et il partit pour Bordeaux le 13 février. L'Assemblée qui venait d'être élue ne représentait pas ses sentiments républicains et patriotiques, qui en étaient irrités. *Photo Hachette.*

108 CHARLES HUGO et sa famille avaient accompagné le poète à Bordeaux, et le 13 mars, le fils aîné mourut d'une apoplexie foudroyante. Son corps fut ramené à Paris. Sur tout le parcours du cortège funèbre, des bataillons de la Garde Nationale présentaient les armes et saluaient le drapeau. Et des barricades contraignaient à de longs détours. Paris était en pleine émeute, la Commune prenait le pouvoir.

109 LE 24 MAI, après l'entrée des Versaillais à Paris, l'Hôtel de Ville fut incendié. Chaque jour, à Bruxelles où il se trouvait alors, Victor Hugo apprenait une mort ou une arrestation. Les journalistes Rochefort et Henry Bauër étaient en prison ; Louise Michel, « la vierge rouge » dont Victor Hugo admirait « la pitié formidable », en danger de mort. *Photo Hachette.*

110 Après toutes les épreuves subies depuis l'exil, Victor Hugo se sentait accablé. Dans le Paris de 1872, les notables le haïssaient à cause de sa politique. En janvier, il fut battu aux élections ; en février, sa malheureuse fille Adèle, qui avait sombré dans la folie, revint à Paris pour y être internée. *Photo Hachette.*

111 APRÈS LA COMMUNE, Hugo décida de s'installer pour quelque temps au Luxembourg. Il connaissait, pour s'y être arrêté avec Juliette, la petite ville de Vianden. Il y habita cette vieille maison penchée au coin du pont sur la rivière Our où il devait passer deux mois de travail incroyablement fécond. *Photo Paul Géniaux.*

112 EN FÉVRIER 1872, l'Odéon reprit *Ruy Blas* avec Sarah Bernhardt dans le rôle de la Reine. D'abord réticente, traitant le poète en « amnistié de la Commune », la jeune actrice fut vite conquise et ne refusa rien au « monstre bien-aimé ». *Photo Carjat.*

113 JUDITH GAUTIER, la fille de Théophile Gautier, qui avait épousé le poète Catulle Mendès, était une autre jeune beauté que le maître, à soixante-dix ans, sut conquérir. *Photo Chéri Rousseau.*

115 POUR ÉCRIRE QUATREVINGT-TREIZE, Victor Hugo se réfugia à *Hauteville House.* Il était parti pour Guernesey en août 1872, il commença le roman en novembre et quand il regagna Paris, le 31 juillet de l'année suivante, *Quatrevingt-Treize* était achevé, et parut en 1874. Pour décrire les surhommes qui sont les héros de son livre, ses défauts même l'ont servi. *Photo Roger-Viollet.*

116 « LES PLACARDS POPULAIRES », publication destinée à faire connaître au grand public « les hommes les plus sympathiques et les plus aimés » de l'époque, commencèrent la série par les biographies de Victor Hugo et de ses deux fils, Charles-Victor et François-Victor. *Photo Hachette.*

119 VICTOR HUGO AVAIT PUBLIÉ EN 1877 « L'ART D'ÊTRE GRAND-PÈRE ». Il était très attaché aux enfants de son fils Charles : Jeanne et Georges, qu'il gâtait beaucoup. Il avait des conceptions assez particulières sur l'éducation ; il exigeait de sa belle-fille que ces enfants si jeunes fussent de tous les grands dîners. Leurs bonnes ne pouvaient les mettre au lit qu'à onze heures du soir. *Photo Bulloz.*

120 PENDANT LE SÉJOUR DE 1872-1873 A HAUTEVILLE HOUSE, Victor Hugo avait eu, avec une lingère de vingt-deux ans, Blanche, imprudemment engagée par Mme Drouet, une aventure qui se prolongea à Paris avec les éclats d'usage de la part de Juliette et de l'entourage. Cette liaison durait encore quand le poète retourna pour la dernière fois à Hauteville House, à l'été de 1878, après une légère congestion cérébrale.

121 L'ENTRÉE DE VICTOR HUGO DANS SA QUATRE-VINGTIÈME ANNÉE fut célébrée comme une fête nationale. Entouré de ses petits-enfants, à la fenêtre du premier étage, Victor Hugo

regardait le cortège de ses admirateurs venus de partout déposer des gerbes au pied de sa maison, avenue d'Eylau, qui devait devenir, en juillet 1881, avenue Victor-Hugo.

122 JULIETTE DROUET mourut d'une tumeur maligne des voies digestives, le 11 mai 1883. Pour le cinquantième anniversaire de leur rencontre, en février 1883, Victor Hugo lui avait offert sa photographie dédicacée : « Cinquante ans d'amour, c'est le plus beau mariage. » Elle avait donné l'exemple du sacrifice total à un amour rédempteur. *Photo Hachette.*

123 UN NOMBREUX PUBLIC VOYAIT EN VICTOR HUGO une sorte de mage tel que l'a représenté le peintre A. Gill. Le poète avait toute sa vie défendu la justice et la liberté. Il était l'honneur des lettres, une sorte de héros national. *Photo Giraudon.*

124 VICTOR HUGO MOURUT LE 22 MAI 1885. On rapporte qu'un ouragan, tonnerre et grêle, se déchaîna sur Paris à l'heure où le vieux dieu agonisait. *Photo Nadar.*

125 TANT DE VERS PARMI LES PLUS BEAUX DE LA LANGUE FRANÇAISE, tant de phrases portent la signature de cet artiste qui fut le maître des sentiments universels. *Photo Hachette.*

126 LA VEILLE DES FUNÉRAILLES, LE 31 MAI 1885, le corps du poète fut exposé sous l'Arc de Triomphe voilé de crêpe. Douze jeunes poètes français formaient une garde d'honneur. Autour de l'Arc et de la place, dans les avenues, dans les maisons, une foule énorme se pressait. *Photo Hachette.*

127 C'EST POUR VICTOR HUGO que le Sénat et la Chambre décidèrent de rendre le Panthéon à sa destination fixée par l'Assemblée constituante. L'inscription « Aux grands Hommes la Patrie reconnaissante » fut rétablie au fronton, et le corps du poète y fut inhumé le 1er juin 1885. Deux millions de Français suivirent le cercueil.

Anne d'Autriche : 15.
Ancelot : 64.
Argout (comte d') : 53.
Asseline, Jean-Baptiste : 26.
Audiat, Pierre : 118.
Aumale (duc d') : 62.
Aunet, Léonie d' : 71, 73, 78, 79, 82.

Balzac : 66.
Banville : 100.
Barrès, Maurice : 125.
Baudin : 80.
Bazire (notaire) : 70.
Beauharnais (Alexandre de) : 8.
Beauharnais (Hortense de) : 76.
Béchet, Dieudonnée (première épouse de Joseph Hugo) : 7.
Bernhardt, Sarah : 113.
Biard, François-Thérèse-Auguste : 71, 72.
Biard, née Léonie d'Aunet, 72, 73, 78 (voir à Aunet, Léonie d').
Biscarrat, Félix : 26.
Bismarck : 104, 106.
Blanc, Louis : 108, 117, 119.
Bonaparte, Joseph : 11, 13, 15, 16, 18.
Bonaparte, Louis-Napoléon : 76, 79.
Bossange : 39.
Boulanger, Louis : 37.
Brisson : 108.
Byron : 37, 56.

Charles X : 32.
Chateaubriand : 18, 20, 28, 56, 59, 64.
Chenay, Paul : 95.
Chenay, Julie : 99, 119.
Claretie, Jules : 105.
Clarke (général) : 11.
Clemenceau : 108, 117.
Colet, Louise : 90.
Constant, Benjamin : 56.
Cordier-Decotte : 16, 18, 26.
Crémieux, Adolphe : 100.
Cousin : 64.

David d'Angers : 37.
Delavigne, Casimir : 37.
Delelée, Jacques : 11.
Delorme, Joseph (pseudonyme de Sainte-Beuve, voir à ce nom) : 42, 43, 46, 51.
Demidoff (prince) : 54.
Deschamps, Émile : 28.
Dessirier, Marie (épouse de Jacques Delelée) : 11.
Deveria, Achille et Eugène : 37, 53.
Dorval (Mlle) : 56.
Drouet, Juliette : 54, 55, 56, 59, 60, 61, 64, 65, 66, 67, 68, 71, 72, 73, 78, 79, 80, 82, 84, 86, 90, 95, 99, 100, 102, 104, 109, 112, 114, 117, 119, 120, 122. (Juliette Drouet figure tantôt sous le nom de Drouet, tantôt sous son prénom de Juliette : voir également table chronologique, page 130, à partir de l'année 1833.)
Dubois, Paul-François : 32.
Dumas, Alexandre : 55, 62, 90, 95, 100.
Duvidal de Montferrier : 26.

Enfantin (le père) : 90.
Eckermann : 32.

Fargue, Léon-Paul : 128.
Félix, Lia : 106.
Ferry, Jules : 120.
Flaubert : 117.
Fouché : 13.
Foucher, Adèle (épouse de Victor Hugo) : 18, 20, 22, 24, 26, 28, 29, 39, 44, 46, 47, 48, 50, 51, 52, 54, 55, 61, 64, 67, 78, 80, 84, 86, 89, 90, 95, 99, 100. (Figure sous le nom de Foucher ou sous le prénom d'Adèle, et encore sous le nom de Mme Hugo. Voir tableau chronologique, page 129, année 1819 et la suite.)
Foucher, Julie : 95.
Foucher, Paul : 37.
Foucher, Pierre : 18, 21, 22, 26.

Gambetta : 117, 118, 124.
Garibaldi : 108.
Gautier, Judith : 105, 113, 114.
Gautier, Théophile : 45, 53, 65, 96, 100, 105.
Gay, Delphine : 37.
Gay, Sophie : 32.
George (Mlle) : 54, 55.
Girardin, Émile : 100.
Goethe : 32, 56, 62.
Goncourt (Edmond de) : 113, 117.
Gosselin : 39, 47, 48, 73.
Grévy, Jules : 118, 122, 124.
Guimbaud, Louis : 78, 122.
Guizot : 62, 64, 73.

Harel : 54.
Heine, Henri : 56.
Hetzel : 89, 93, 95.
Hoffmann : 65.
Hugo, Françoise (comtesse de Graffigny) : 7.
Hugo, Georges : 7.
Hugo, Joseph : 7.
Hugo, Louis (abbé d'Estival) : 7.
Hugo, Léopold-Joseph-Sigisbert (père de Victor Hugo) : 8, 9, 10, 11, 13, 15, 16, 26, 28.
Hugo, Sophie, née Trébuchet (première épouse de Léopold Hugo, mère de Victor Hugo) : 10, 11, 13, 15, 16, 18, 20 (voir également à Trébuchet Sophie et table chronologique 1802 à 1821).
Hugo, Mme, deuxième compagne de Léopold Hugo : 28 (voir Thomas [la fille]).

Hugo, Abel (fils de Léopold) : 10, 16, 20, 23, 26, 37.
Hugo, Eugène (fils de Léopold) : 11, 16, 18, 26, 28, 30.
Hugo, Victor-Marie (fils de Léopold) : 11, 13, 15, 16, 18, 20, 21, 22, 23, 24, 26 : voir ensuite table chronologique page 129.
Hugo, Léopold II (fils de Victor Hugo) : 27, 28.
Hugo, Léopoldine, dite Didine (fille de Victor Hugo) : 29, 60, 66, 67, 68, 71.
Hugo, Charles (fils de Victor Hugo) : 34, 50, 79, 84, 86, 90, 95, 99, 100, 104, 106, 108.
Hugo, François-Victor (fils de Victor Hugo) : 47, 79, 86, 90, 100, 114, 117.
Hugo, Adèle (deuxième fille de Victor Hugo) : 47, 80, 84, 86, 95.
Hugo, Mme Charles, née Alice Lehaene (voir ce nom) mère de Georges et de Jeanne (petits-enfants de Victor Hugo) : 114, 117, 118.

Ida (Mlle) : 55.

Joly, Anténor : 62.

Kléber : 8.

Lacroix, Albert : 95, 96, 100, 102.
Ladvocat : 28, 29.
La Fayette : 47.
Lahorie, Victor (général) : 11, 13.
Lainé : 60.
Lamartine : 28, 30, 37, 64, 73, 77.
Lanvin, Jacques-Firmin (pseudonyme de Victor Hugo exilé) : 80.
Laurent, Marie : 106.
Lehaene, Alice (épouse de Charles Hugo) : 95.
Lemaître, Frédérick : 54, 64, 106.
Lenormand du Buisson : 9.
Levaillant, Maurice : 56, 67.
Ligier : 53.
Lockroy, Édouard : 102, 108, 114, 118, 120.
Louis-Napoléon Bonaparte : 76, 79 (voir aussi à Bonaparte, Louis-Napoléon).
Louis-Philippe : 60, 61, 62.
Luthereau, Laure : 80.

Mac-Mahon : 114, 117.
Marchangy : 54.
Mars (Mlle) : 56.
Martin-Chopine (veuve) : 16.
Mecklembourg (Hélène de) : 61.
Mendès, Catulle : 114.
Meurice, Paul : 79, 100, 102, 106, 111, 114, 119, 120, 125.
Michaud, Jeanne-Marguerite (deuxième épouse de Joseph Hugo) : 7.
Michel, Louise : 111.
Michelet : 90.

Mignet : 64.
Molé : 64.
Musset : 56.

Napoléon Bonaparte (empereur) : 16, 18, 30, 40.
Napoléon III (voir aussi Louis-Napoléon) : 84.
Nerval : 65.
Nodier : 28, 48, 64.

Orléans (duc d') : 61, 62.
Orléans (duchesse d') : 72.

Pavie : 37.
Pedro (don) : 118.
Peel (Sir Robert) : 85.
Pélicier : 23.
Perrin, Émile : 121.
Persan : 27, 28.
Polignac : 46.
Pradier, Claire : 73, 122.

Rachel (Mlle) : 67.
Rembrandt : 18.
Renan : 118.
Renard, Jules : 95.
Renduel : 58, 73.
Rochefort, Henri : 102, 111, 112.
Rohan (abbé, duc de) : 26.
Rolland, Romain : 122.
Rose (Mlle) : 11.
Royer-Collard : 64.

Sainte-Beuve : 32, 34, 36, 42, 43, 44, 46, 47, 50, 51, 52, 54, 55, 56, 66, 72 (voir également à Delorme).
Salvandy : 64.
Sand, George : 56, 90, 95.
Say, Léon : 124.
Simon, Jules : 95, 100, 117.
Soulié, Frédéric : 95.
Stendhal : 56.
Sue, Eugène : 95.

Talma : 32, 34.
Taylor : 32.
Thiers : 64, 114.
Thomas (la fille) deuxième compagne de Léopold Hugo : 28.
Trébuchet, Sophie (première épouse de Léopold Hugo) : 9, 18 (voir également à Hugo, Sophie).
Trochu : 106.

Vacquerie, Arthus : 70.
Vacquerie, Auguste : 79, 84, 87, 95, 100, 102, 109, 111, 122, 125.
Vacquerie, Charles : 66, 68, 70, 71.
Valéry, Paul : 117.
Vigny (Alfred de) : 26, 32, 45, 56.
Villemain : 64.

Index iconographique

Bernhardt, Sarah : 112.
Biard, née Léonie d'Aunet : 70.
Bonaparte, Joseph : 15.

Deveria, Achille : 38.
Deveria, Eugène : 37.
David d'Angers : 37.
Drouet, Juliette : 55, 59, 122.

Foucher, Adèle (Mme Victor Hugo) : 19, 24, 29.
Foucher, Paul : 36.
Foucher, Pierre : 19.

Gautier, Judith : 113.
Gautier, Théophile : 44.
George (Mlle) : 55.

Hugo, Léopold (général) : 6, 93.
Hugo, Françoise (épouse de Léopold Hugo,
    née Trébuchet) : 6.
Hugo, Eugène : 10.
Hugo, Abel : 10.
Hugo, Victor : 12, 22, 24, 53, 56, 64, 88, 90,
    91, 94, 110, 116, 119, 120, 123, 124.
Hugo, Mme Victor (voir à Foucher Adèle).
Hugo, Charles : 46.
Hugo, Adèle : 47.
Hugo, François-Victor : 47.
Hugo, Léopoldine : 29, 58, 66.

Louis-Napoléon : 75, 77.

Talma : 33.
Trébuchet, Mme (née Lenormand du Buisson) : 7.

Vacquerie, Charles : 66.
Vacquerie, Auguste : 88.
Vigny (Alfred de) : 41.

Dépôt légal :

N° 4069 - 4ᵉ trimestre 1965 - 1189-01

Imprimé en Grande-Bretagne par
Jarrold and Sons Ltd, Norwich